科博と科学

地球の宝を守る

篠田謙一
Ken-ichi SHINODA

ハヤカワ新書 020

はじめに

国立科学博物館（科博）は、二〇二七年に創立一五〇周年を迎える日本で唯一の「国立」の自然史と科学技術史の博物館です。初代の館長は、東京大学理学部の教授時代に、高知から上京してきた牧野富太郎を教室に迎え入れたことでも有名な植物学者の矢田部良吉です。昨年は、「日本の植物学の父」牧野を主人公としたＮＨＫの連続テレビ小説も放映され、矢田部をモデルとした人物も登場しましたので、憶えておられる方も多いと思います。私の前に館長職を勤めた人は一九人いますが、すべて行政職か他大学から来た研究者でした。私自身は、人類研究部に所属する研究者でしたが、内部の研究者として初めて館長職に就くことになったので、科博に一番長く在職している館長ということになりました。科博に就職したのが二〇〇三年なので、内部から科博を眺めて二〇年以上が過ぎています。

二一世紀を科博で過ごしたと言い換えても良いと思いますが、この間に科博も、そして科学を取り巻く環境も大きく変化したと感じています。コロナ禍による影響を除けば、科博は入館者数を順調に伸ばし、発展を続けることができました。一方科学を取り巻く情況は、残念ながら良い方向に向かっているようには見えません。第二次世界大戦後の日本は、科学技術立国の実現を目指して数々の施策が実施され、それなりの効果を上げていました。しかし、今世紀になると、科学技術に関する国際競争力は目に見えて落ちてしまいました。これは人材の育成に力を注がなかったことが最大の原因なのだと思いますが、その根底には科学や技術、もっと言えばそれを専門とする集団に対する世間のまなざしが変わってしまったこともあるのではないかと思っています。

インターネットが発達し、誰もが情報の発信源になれる時代には、専門家の意見はそれなりに尊重されてしかるべきだと思いますが、むしろ多くの異なる意見の中に埋没してしまって、軽んじられるようになりました。ネット社会自体が科学や技術を基盤として成立しているのに、情報インフラが科学・技術の価値をおとしめる方向に作用するというのは皮肉なことです。

昨今では、科学・技術の最先端で何が行われているかを理解することは非常に難しくなっています。そのギャップを埋めるために、サイエンスコミュニケーターの養成も進められています。しかし、そもそも科学や技術に対して興味のない人たちに、どうすれば科学リテラシーを持ってもらえるのか、その部分については課題が残っています。科博は明治の初期、日本にも教育博物館が必要だと考えた文部大輔《たいふ》田中不二麿により設立された博物館です。そのためスタートから社会教育施設としての性格を持っています。私はその博物館の館長として、このような情況を立て直すのが科博の大きな役割のひとつであると考えるようになりました。

本書は、そんなことを考えながら科博や科学についての考えを綴ったものです。もともと私自身がDNA人類学を専門としていますので、この分野の話題がベースになっていますが、人類学は自然科学と人文・社会科学の領域を包括する学問ですから、科学に関しての少し広めの内容となっています。科博は昨年、大規模なクラウドファンディングを成功させました。このことは、科博の活動の転機になったと考えていますので、その経緯についても少し詳しく解説しました。今後の科博の活動を知って頂く意味でも、本書を一読いただければと思います。

二〇二四年二月　国立科学博物館長　篠田　謙一

目次

PART 1

文化としての科学

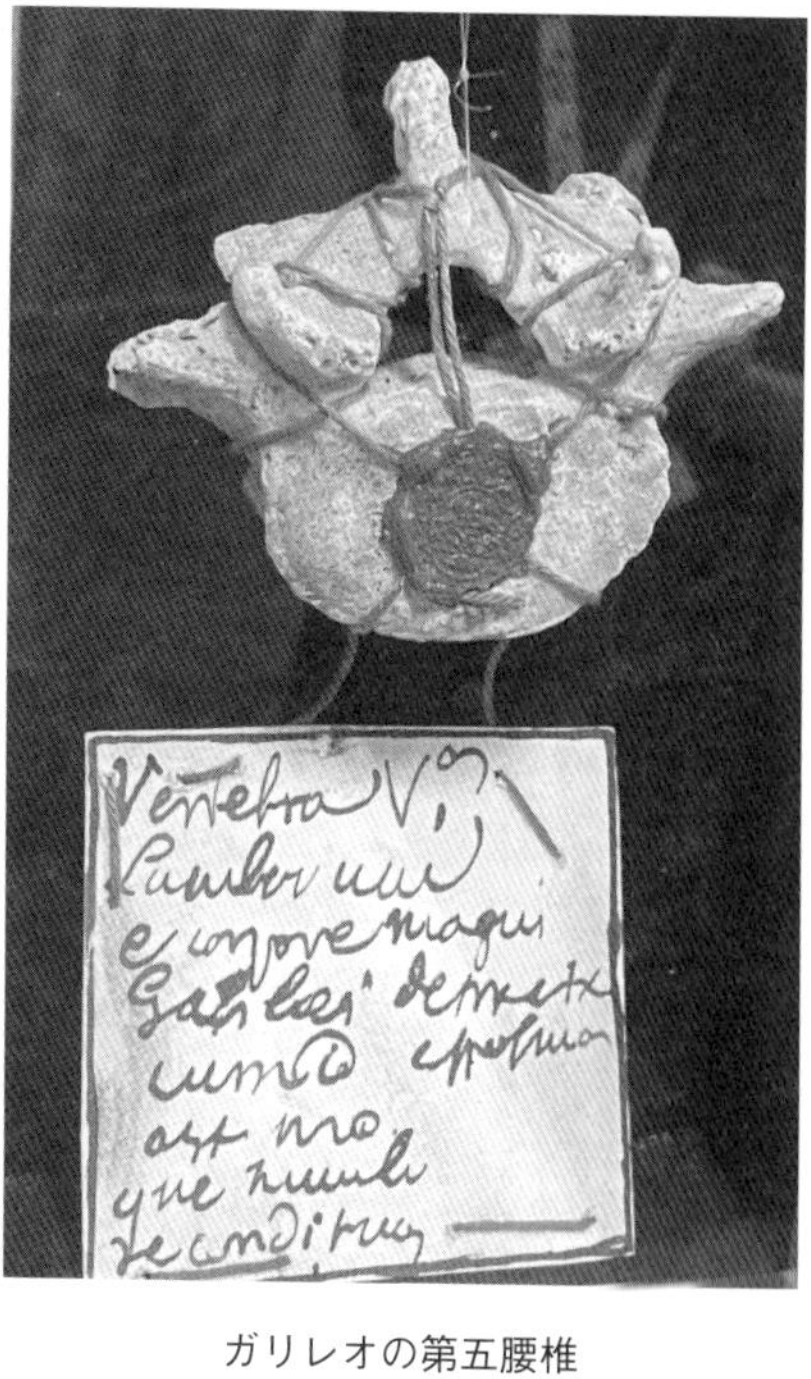

ガリレオの第五腰椎

1　科学を文化に

熱力学の第二法則について説明できるか

　学生時代に受けた発生生物学の講義の中で、イギリスに留学経験のある教授が「イギリスではサイエンス（科学）はカルチャー（文化）としての地位を確立している」という話をしたのを憶えています。当時の私は科学と文化は別物と思っていましたし、その言葉の重要性についても意識はしませんでした。しかし国立科学博物館に勤務してからは、昨今の社会における科学のあり方や科学と文化の関係についても考えることが多くなり、現在の日本の社会における「科学」の位置はこのままで良いのだろうかと考え始めました。ここ数年間は、そのことを特に強く意識するようになり、館長になったことを契機に国立科学博物館で「科学を文化に」というミッションを新たに掲げることにしました。

科学と文化の問題を考える時、参考になるのが今から六〇年以上前のC．P．スノーの著作『二つの文化と科学革命』です。スノーはケンブリッジ大学で物理学の博士号を取得した研究者で、技術系の公職に就く傍ら、小説も書くというマルチな才能を発揮した人物です。当時大きな論争を巻き起こしたこの著作は、彼が一九五九年にケンブリッジ大学で行った「二つの文化」というタイトルの講演を元にしたものです。スノーの言う二つの文化とは、「文学に造詣の深い知識人」の文化と自然科学者の文化であり、両者の間には深刻な相互不信と無理解が見られるということを指摘したのです。

ある時パーティで、参加者たちが科学者の無教養を指摘する場面に出会ったスノーは、彼らに熱力学の第二法則について説明できるかを訊ねました。しかし誰もが答えられず、むしろそれは恥ずべきことではなく、当然のこととして受け入れていたというのです。スノーは、これはシェイクスピアの作品を何か読んだことがあるか、というのと同じレベルの科学上の質問だ、と言います。そして「現代物理学の体系は進んでいても、西欧のもっとも賢明な人びとの多くは物理学にたいして、いわば新石器時代の祖先なみの洞察しかもっていないのである」と指摘したのです。

スノーが持ち出したのがニュートンの万有引力やアインシュタインの相対性理論でなかったのは、うがった見方をすれば、それらであれば文系知識人でも知っている可能性があると考えたからなのかも知れません。しかし熱力学の第二法則こそが時間の存在のもとになり、宇宙の始まりから崩壊までを予測させる法則であることを考えれば、彼がそれを例として出したことには大きな意味があったのだと思います。

スノーは、政策決定者の多くは科学に無関心で、その素養を欠いているので、正しい科学判断ができていないことを憂慮しました。また彼の意見は自然科学教育を犠牲にしてラテン語やギリシャ語を学ぶことを重要視したイギリスの上流階級の教育システムを非難するものでしたから、大きな論争を呼ぶことになりました。しかしこの人文科学と自然科学の分断が、世界が抱える問題の解決のために科学技術を応用するときに害を及ぼす結果をもたらす、という彼の指摘は現在にもつながるものです。多くの国において科学的な素養や知識を欠いた人たちによって政策が決定されている現状は変わっていません。日本人の研究者には「サイエンスがカルチャーとして認められている」と映ったイギリスの社会でも、政府の政策決定などを間近に見ていたスノーには充分なものとは思えなかったのです。

教育システムの問題

自然科学と人文科学の乖離は、スノーが言うように基本的には教育システムに根ざすものです。日本の場合は、とりわけ理工系や生命科学の教育が大学受験と強く結び付いているところに問題があります。大学の教養課程がかつてに比べても貧弱なものになっている現在、理科系の大学に進む学生を除けば、科学教育を受けるのは高校までになります。文科系の学部では理科や数学を受験科目に指定していないところも多く、そのような大学に進学する学生は、事実上高校二年生くらいで科学の知識に触れることはなくなってしまいます。しかも、このようなコースを歩む人は非常に多く、大半の日本人の科学的知識は高校時代で止まっています。

当然のことながら科学は進歩します。特に現代では技術の進歩によって自然科学、とりわけ生命科学の分野は驚異的なスピードで発展しています。多くの分野で一〇年もすれば科学的な知見は以前とは違うものになるでしょう。高校時代に憶えた知識は数十年の単位で見れば確実に陳腐化し、通用しなくなるのです。多くの人びとが持つ科学知識が、彼らが社会の中堅にさしかかった頃に時代遅れなものになっているという情況はかなり危機的です。そうなると、科学的な知識そのものに疑念を持つ人も増えることは不思議ではありません。

気候変動や新型コロナ感染症に関する社会の反応などはその最たる例ですが、昨今では科学の専門家の意見が、多くの人びとに届いていないのではないかと感じることが多くなりました。その根底には、人びとと科学の間のこのような関係があることは明らかです。近年、科学を人びとに届けることの重要性が強く認識されるようになったのは、このような情況を反映しています。その試みのひとつが、「はじめに」でも紹介した、非専門家に対して科学的なトピックを伝えることを目指すサイエンスコミュニケーションになります。国立科学博物館でもサイエンスコミュニケーターの養成講座を持っていますし、同じような試みはいくつかの大学でも行われています。これは科学の側から人びとに向かって行われる努力で、現代社会ではその重要性は明らかです。

一方で、サイエンスコミュニケーションの最終的な目標は、研究成果を人々に紹介するだけでなく、その課題や研究が社会に及ぼす影響を科学者と一般の人びとがいっしょに考えて理解を深めることにあります。そのために科学館や研究機関などでは、サイエンスカフェや施設の一般公開など様々な試みが行われています。しかし、そもそもこのような催しに参加する人びとは、もともと科学に興味関心を持つ人が多いという事実もあります。多くの人に科学を届けるためには、更に多くの受け手の側の意識も変えていくことも必要なのです。

このような情況の中で、人生の中で常に科学に関心を持ち、人びとが情報をアップデートしていく社会を作ること、それをこれからの国立科学博物館の重要な役割とするべきだと考えるようになりました。科学を、学校教育の中で授けられるもの、あるいは知識を試されるものから、自分の興味や関心で自主的に受け入れていくものにすること。他の芸術と同様に人生を豊かにしてくれるものと認識できるようにすること。それを「科学を文化に」という言葉で表し、これからの新たなミッションとすることにしたのです。

科学の価値基準は利潤と効率か？

　科学を文化にするというのはどういうことでしょう。それは端的に言うと社会の中で科学を芸術のような立場に位置づけるということです。例えば芸術の代表である音楽や絵画は学校で学びますが、教育課程を終えればその後の人生で顧みない、というようなことにはなりません。楽器を演奏したり絵を描く、あるいは鑑賞することは生涯にわたって続けられ、人生を豊かにします。文学に関しても同様です。音楽や読書は趣味になりますが、科学を趣味と言うことはありません。更に芸術活動には、本来金銭を目的とするものではないという暗黙の了解があります。一方で科学の場合は、お金儲けの話と一緒にされて語られることが多く、社会の役に立つのか、どれだけの利益が見込めるのか、という価値観で判断されることが普通です。

　自然史の博物館の研究は、直接的に利益を生むものではありません。まあ、珍しい昆虫や化石などは、それなりにお金になる可能性はありますが、そもそも集めている研究者にはそういうマインドはありません。ゴッホやピカソも絵を売って金持ちになろうと思っていたわけではないでしょう。基礎科学の研究者に利益を求めることも同じことなのです。しかしなぜか科学の場合は利潤と効率が価値基準になっています。これは科学が文化のひとつであると認識されていない証拠です。そのような「偏見」をなくすためには、自然科学も文化の一部を担うものだということを社会に認知してもらうことが重要です。

例外はあるにせよ、優れた芸術家を生み出すためには幅広い芸術の土壌が必要です。子どもの頃から優れた美術作品や音楽を鑑賞して育つ人が多ければ、そこから優れた芸術家が誕生する機会も多くなります。そのためには親の世代が芸術に関心を持っていることも重要です。芸術家を目指す人びとを取り巻く環境や裾野の広さが重要なのです。裾野が広ければ山も高くなります。科学者もそれと同じで、科学を学校教育の枠の中だけでなく、広く社会の中に定着させることができれば、優れた科学者も多く生み出すことができるでしょう。また、科学は利益のみを追求するために存在するものではないという認識が広まれば、自然科学に対する人々の捉え方も変わってくるのではと思います。

国立科学博物館でも、親が子どもに展示を見ながら説明する姿を見ることがありますが、それほどよく目にする風景ではありません。これが普遍的な姿になるための努力をする。上野駅に降り立った人たちが、美術館で絵画の鑑賞をするか、科博で最新の科学に触れることを選択するか、違和感なく自然に考えることができるような社会をつくること、それが私の掲げる長期的な目標です。

2　ガリレオの背骨と彼の教壇　信念を貫くこと

パドヴァ大学付属の自然史博物館

北イタリアの都市ボローニャにはヨーロッパ最古の大学であるボローニャ大学があります。設立は一〇八八年といいますから、一〇〇〇年近くの歴史がある大学です。日本人の感覚としては、大学の歴史は明治以降のものですから、ちょっと想像がつかない年月です。ヨーロッパの人びとは、どちらかというと私たちが奈良・京都の神社仏閣に抱く感覚と同じような思いで大学を捉えているのかも知れません。ヨーロッパでは、大学がそれだけ歴史の中に根付いています。また、ボローニャの近郊の都市パドヴァには、この国で二番目に古いパドヴァ大学があります。この大学は、権威的でカトリックの支配が強かったボローニャ大学に不満を持った教授や学生たちによって作られました。当然のことですがパドヴァ大学も非常に長い歴史を持っており、設立されたのは一二二二年です。二〇二三年六月二三日には、この大学の開学八〇〇周年を記念して、大学付属の自然史博物館がリニューアルオープンしました。

私はアジアの博物館の代表ということで招待を受けて、そのオープニングセレモニーに参加することができました。この博物館は、ヨーロッパの大学の自然史系博物館としては規模も最大級で、最新鋭の展示設備を備えているということでしたので、見学するのを楽しみにしていました。昔からの建物を改装して用いているため、壁に巨大なフレスコ画の架かっている部屋に標本ケースが置いている展示室もあったりして、美術館と博物館が合体したような不思議な雰囲気を持っていました。日本ではちょっと考えられない展示法ですが、これも八〇〇年の歴史が許しているのかも知れません。

他国の新しい博物館を見学するのは、自身の博物館の展示をどのように変えていくのかを考えるのに良い機会になります。そんなチャンスが巡ってくるのも、規模では既に中国の自然史博物館に抜かれているとは思いますが、国立科学博物館がアジアを代表する博物館と認められているからなのだと思います。これからもそれにふさわしい活動をしていかなければと思いを新たにしました。

なお、北米からはワシントンのアメリカ自然史博物館（スミソニアン自然史博物館）、ヨーロッパからはウィーンの自然史博物館、南米大陸からはアルゼンチンのラ・プラタ自然史博物館の代表が来ており、式典に続いて開かれた「Museums from four continents」と題したシンポジウムでは、それぞれの博物館の歴史や活動についての紹介を行いました。スミソニアンの代表は鉱物部門の部長だったこともあり、彼らの持つ宝石のコレクションが一九三〇年代以降のドネーションによって成り立っていることを紹介していました。スミソニアンの活動費の多くの部分が民間の寄付によることは知っていましたが、高価な標本資料も寄付によっていることは初めて知りました。ウィーンの自然史博物館は、最近のヨーロッパにおける情勢を反映して、環境や人権問題に活動の比重を大きくしている現状が報告され、ラ・プラタ博物館はイタリア系の移民たちが博物館の設立に関わったことを説明していました。私は科博が明治時代に先進国の科学技術の紹介と啓蒙を目的として設立されたこと、そのため自然史と科学技術史の博物館双方の機能を持っており、現在でも科学教育を重要視していることを説明しました。各国の博物館の抱える問題や、それぞれの目指すものが分かって、こちらも非常に勉強になりました。

物理の原理を理解させるためのアイデア

式典の前後には大学の案内のツアーが組まれており、様々な施設を見学することができました。パドヴァ大学は、それぞれの学部が市街の各地に点在しており、学部によっては小さな博物館を持っています。その中のひとつ、物理学科の博物館は、大変興味深いものでした。博物館ですから、たとえばイタリアで初めて撮影されたレントゲン写真だとか、ノーベル賞学者の書いた実験ノートなど、歴史的に貴重な標本もあるのですが、そこで展示されていた多くの標本は、それぞれの時代に大学で物理学の原理をどのように教えていたか、学生に理解させるために用いられていた教育器具の数々でした。力学や光学など、物理の原理の基本的な部分は変わりませんから、それらは今の私たちが見ても勉強になるものです。そこには、人に物理の原理を理解させるためにはどうしたらよいかというアイデアが詰まっていました。科学技術の歴史をなぞることも重要ですが、人が物理現象を伝えるためにどのような工夫をしたのか、ということは、今にも通じるものがあるのだと再認識しました。

科博の人気の展示物にも「フーコーの振り子」という地球の自転現象を示す装置があります。日本館の入り口近くにあるので、科博を訪れた人であれば一度はご覧になったことがあると思います。この装置は、基本的に長い弦と質量の大きい錘《おもり》でないと、正確には現象を再現できません。かつて文部省の官僚だった館長が、邪魔だから錘をつるしているヒモを短いものにしろと言い出して、当時の担当者を困らせたという逸話も残っているくらい大きなものです。この装置は、一八五一年にフランスのレオン・フーコーが考案したもので、実際に原理を理解することは難しいのですが、来館者が行きと帰りで振り子の振動する方向が異なっているのを見て、地球の自転を実感することができるようになっています。このように歴史を持つ展示物というのは、陳腐化して飽きられることはありません。私たちは、とかく新しい展示方法に目を奪われがちですが、過去の賢人たちの工夫を研究し、新たな展示に生かすことも重要だと思っています。

ガリレオの遺骨

さて、話をパドヴァに戻しましょう。旧市街には一五四五年に開園し、ユネスコの文化遺産にも登録されている大学付属の植物園「オルト・ボタニコ」があります。もともとは薬草園としてスタートした施設ですが、これはパドヴァ大学に最初から医学部が存在したためなのです。実は、私がこの招待を受けることを決めたのは、私自身が研究者としてのキャリアを医学部の解剖学教室からスタートしたことに関係があります。

パドヴァ大学は一六世紀、アンドレアス・ヴェサリウスによって世界で初めて近代的な解剖学が講義された大学で、解剖実習が行われていた部屋「テアトロ・アナトミカ」が残っているのです。日本の解剖学の教科書にも、彼がこの部屋で解剖をしている様子と、彼が著した解剖学の大著『ファブリカ』の挿絵が載っています。ですから解剖学の研究者として、かねてからこの大学を一度は訪れたいと思っていました。ヴェサリウスは、実際に人体を解剖して、その構造を明らかにした最初の研究者です。彼の「直接の観察が唯一の信頼できる情報である」という考え方は、まさにルネッサンスが生んだ思想に基づくものですが、それを実施できたのは、パドヴァ大学の自由を尊ぶ気風が根底にあったはずです。

テアトロ・アナトミカは、パドヴァ旧市街の中心にある大学の本拠地であるパラッツォデルボーにあります。もともとこの大学は哲学・医学部と法学部が合体してできたという経緯があり、この建物も半分は法学部で、残り半分が医学部でした。現在でも博士号の口頭試問や会議で使われているそうですが、部屋の壁はこの大学で学んだ人びとの肖像画で埋め尽くされています。中には地動説を唱えたコペルニクス、血液循環説を唱えたウイリアム・ハーヴェイ、今でも人体の組織に名を残しているマルピーギやモルガニといった人たちもおり、まさに歴史の重みを感じさせる建物です。

これらの人物の他にも、『神曲』を執筆したダンテも教授をしているのですが、なんといっても有名なのは、ガリレオ・ガリレイが一五九二〜一六一〇年に、この大学で教鞭を執っていたことです。現代物理学の基礎を造ったのは、ガリレオとニュートン、アインシュタインですが、そのひとりであるガリレオの後世に残る偉業はこの地で生まれており、彼自身も生涯のなかで最も充実した人生をパドヴァで送ったといいます。物理学科の建物の入り口には彼の名前が掲げてあります。京都大学の基礎物理研究所も、日本で最初にノーベル賞を受賞した湯川秀樹博士の名前が付いていますので、同じような

パドヴァ大学物理学科の建物

感覚なのでしょう。

ただし、パドヴァ大学の方にはガリレオの肖像画や胸像の他に、彼の背骨（第五腰椎）のレプリカも飾られています。ガリレオの遺骨は、最初は無名者の墓に埋葬されていたようですが、一八世紀にフィレンツェのサンタ・クローチェ聖堂に移送されました。しかしこの後、この腰椎も含めた幾つかの骨が盗難に遭い、幾人かの手を経た後の一八二三年に、この腰椎はパドヴァ大学に寄贈され、それ以降大学に保管されるようになったようです。そこからレプリカを作って飾ってあるのです。ガリレオは一六四二年に七七歳で亡くなったとされていますが、確かにこの腰椎には老人性の変性が見られました。晩年は最愛の長女ヴィルジニアを病気で失い、自身も失明して、困難な情況の中で亡くなったようですが、この骨は彼の苦難に満ちた最期を象徴しているようにも見えました。

ガリレオの教壇

カトリックに限らず、多くの宗教では偉人の骨を信仰の対象にしますが、この展示はガリレオを一種の聖人として扱っているように感じさせます。ガリレオは自身が熱心なカトリック教徒だと言われているので、そのような扱いを受けることに違和感はないのかも知れません。イタリアでは科学と宗教が人びとの意識の中で分かちがたく結びついているのか、このあたりの感覚は私たち日本人とは大きく異なっています。

この部屋にはもうひとつガリレオに関わるものとして、彼が使っていた教壇が置かれています。そこには七段ほどの階段が付いていて、かなり高いところから講義をすることになるので、多くの学生を相手にしていたことが想像できます。ガリレオが地動説を唱えたために宗教裁判にかけられるのはパドヴァ大学を去った後のことになりますが、

ガリレオの教壇

彼は自らが信じる科学については、教会の権威に盲目的に従うことを拒絶し、哲学や宗教から科学を分離することを提唱し続けました。この階段を上るとき、彼が何を考えていたのかは想像するしかありませんが、当時の状況を考えれば、相当な覚悟を持って講義をしていたことは間違いありません。権力や権威に逆らって信念を貫くことには犠牲が伴います。科学の発展もそのような先人の努力と犠牲の上に成立していることを、この教壇を見ながら考えました。

3　知ることと理解すること　東日本大震災から学んだこと

3・11、遺物のレスキュー作業

東日本大震災の記憶は人によってさまざまで、そこから学んだことも人それぞれだと思いますが、私には「知ること」と「理解すること」の違いを考えるきっかけとなりました。私自身は、震災当日はボリビアで調査をしていたので震災の直接の体験はなく、三月一一日以降も翌年に科博で開催予定の特別展「インカ帝国展」の展示作品の借用交渉をするために、ペルーやエクアドルの博物館を回っていました。この展覧会は全国での巡回が計画されており、国立科学博物館で開催した後に仙台市での開催が予定されていました。巡回先について説明すると先方から驚かれた記憶があります。当時、南米でもトップニュースはこの震災でしたし、CNNでは仙台で飛行機と自動車が一緒に流されていく映像がくり返し放映されていましたから、彼らの心配も当然のことでしたが、震災を理由に借用を断った博物館はひとつもありませんでした。皆、日本の復興を信じてくれていたのが印象的でした。

東日本大震災は人命のみならず文化財にも甚大な被害をもたらしたので、そのレスキュー活動も行われました。私自身も五月の末になって、レスキューの中心的な活動をしていた奈良文化財研究所の松井章さんに依頼されて、科博の人類研究部の坂上和弘さんと一緒に宮城県石巻市の文化センターに保管されていた考古遺物、特に人骨の救出作業に参加しました。震災当初は人命の救助が第一ですから、文化財のレスキューは二ヶ月ほど遅れて実施されることになったのです。

当時、新宿の百人町にあった国立科学博物館の新宿分館から車で被災地に向かいました。この頃までには高速道路は開通していましたが、一般道は災害救助の車で渋滞しており、石巻から離れたところに宿泊せざるを得なかった私たちは、毎日かなりの時間をかけて現場に向かうことになりました。宮城県のレスキュー本部は、インカ帝国展の巡回先に予定されていた仙台市博物館に置かれていましたので、不思議な縁を感じたのを憶えています。なお、インカ帝国展は予定通り翌年にこの博物館で開催されたのですが、この会場だけはインカのミイラの展示に関しては別導線を作り、希望しない人は閲覧できないように作られました。一年たっても死を連想させる展示は難しく、震災が人々の心に残した影響の大きさを実感しました。

二日間の作業で三四箱分の人骨を回収

私たちがレスキューにあたった石巻文化センターは北上川の河口に位置していて、大地震直後の津波によって一階部分が完全に水没しました。幸いなことに建物は頑丈で、人びとは二階以上に避難してセンターでは人的な被害はなかったのですが、文化財の収蔵庫と図書館は一階にあったために、そこに収蔵された標本や図書は大きな被害を受けることになりました。私たちが到着した震災から二ヶ月たった時点でもセンターの周りはほとんど手が付けられておらず、震災直後とあまり変わらない無残な光景が広がっていました。自衛隊が周辺の後片付けをしており、重機の音が鳴り響いている中でのレスキュー作業になりました。また、この時点でも電気、水道などのインフラは復旧しておらず、作業は電動カッターで頑丈な収蔵庫のドアをこじ開けるところから始めなければ

2011年5月25日、石巻文化センターでの活動の様子。
左は筆者、右は坂上博士

なりませんでした。

収蔵品は、海水とともに流入した泥やゴミにまみれて散乱していたので、一旦すべてを運び出して、屋外で手作業による選別を行うことにしました。考古遺物と人骨に分けて作業をしましたが、石巻には大きな製紙工場があったために、流出した紙パルプの残滓《ざんし》が標本に大量に混ざってしまっていて、その中から人骨を手探りで選別する作業となりました。結局、二日間の作業で三四箱分の人骨を回収し、新宿の研究室に運び込み、その後、アルバイトの学生を雇って、三ヵ月ほどをかけて整理をしました。具体的な作業内容は松井さんのアドバイスを受けて、基本的には人骨を水洗することで塩分を抜き、日陰で乾燥させるという手順を踏みました。その結果、幸いにもセンターの記録にあった人骨は大きな損傷もなくほぼ元の状態にもどすことができました。後にこれらの人骨からＤＮＡを抽出してゲノムの解析も行いましたが、どの人骨からも比較的良好なＤＮＡが抽出できましたので、この方法での修復に問題がなかったことも確認できました。

散乱状態で出土した人骨

石巻文化センターに収蔵されていた人骨の大部分は、五松山遺跡という文化センターに近い山の中腹の洞窟から出土した人骨群でした。この遺跡は一九八二年に発掘され、当時の科博の人類研究部長だった山口敏先生が人骨の調査をしたものです。山口先生は人骨を新宿の分館に運んで調査をされましたので、これらの人骨は震災を挟んで二回、東京にやって来たことになりました。十数体分の人骨があり、時代としては弥生時代から古墳時代にかけてのものだと推定されています。弥生時代は日本列島で本格的な稲作農耕が始まった時期として知られています。しかし実際には最初に稲作が入ったのは北部九州地方で、そこから数百年かけて日本列島を東に向かって伝播したと考えられています。ただし関東以北の地域では、考古遺物を見ても典型的な弥生式土器はなく「関東以北に弥生時代はない」という考古学者もいます。東北地方で水田稲作を始めた人は誰なのか、渡来してきた集団が東北まで進出して稲作を始めたのか、あるいは在地の縄文系の人々が稲作という技術を受け入れたのか、その状況には謎が残っています。そのためこれらの人骨は、いつ、誰がこの地域で稲作農耕を始めたのかを知るための貴重な標本なのです。

レスキューを行った時にひとつだけ気になっていたことがありました。五松山遺跡の人骨は三二の箱に分けて収納されていて、それは全て回収できたのですが、人骨のほとんどは箱から飛び出しており、しかも収蔵していた箱の標本ラベルの中には、ほとんど読めなくなってしまったものもあったので、どの箱にどの人骨が入っていたのかが分からなくなっていたのです。ヒトひとりはおよそ二〇〇個の人骨から構成されていますから、一旦バラバラになるとどれが誰の骨なのかは基本的には分かりません。その状況を山口先生にメールで伝えたところ「もともと人骨は散乱状態で出土したもので、個体ごとの組み合わせは始めから失われていた。自分ができる限りは整理したが、完全なものではなかったのでそれはそれで仕方がない」という返事がありました。確かに五松山遺跡の報告書を読むと、人骨は散乱状態で発見されたものであり、その説明として、「埋葬後の社会状況の変化で、かつての埋葬地を破壊する行為が行われた可能性がある」との記述がありました。

死後に二つの津波を経験した人びと

山口先生からのメールには更に「昔、調査が行われた三浦半島の弥生時代の洞窟人骨も、何の脈絡もない状態で出土した例が多かったようで、今回の件から、ひょっとすると太平洋岸の海蝕洞の散乱した人骨は津波で攪乱したせいではないか、などと想像している」とも書かれていました。震災は悲劇を生みましたが、このレスキューを通して、私たちは真実に気がつくことになりました。五松山洞窟は、おそらく平安前期の貞観地震による津波の被害を受け、洞窟内に流入した海水によって人骨が攪乱したのでしょう。その原因は人為的なものではなく、自然災害だったのです。もともと当時の人びとは遺体の安置場所として洞窟を選んでいただけで、後世の社会変動はこの洞窟まで及ぶことはなかったのです。そしてこの洞窟に葬られた人びとは、死後に二つの津波を経験するという数奇な運命をたどることになりました。

三浦半島の洞窟遺跡から出土した人骨の報告書を見ると、その状況は五松山とそっくりでした。発掘図面を見るとほとんどの人骨は散乱状態で、大きな岩の陰などに人骨片が押し込まれるように分布していました。もちろんそこには、特異な埋葬の原因として、津波の影響に関する言及はありません。人骨が洞の奥に集中する理由としては、以下のような記述があります。

「遺体の処理（解体）は洞窟の前半部で行われ、解体が進行して骨片が出来ると、その度に、たぶん呪文のようなものを唱えながら、洞窟の奥に向かって別々に投げたであろう。（中略）（人骨が）複数の小片となって発見されたのも、このように推測してはじめて理解されるであろう。」（鈴木尚『骨が語る日本史』学生社、一九九八）

まるで見てきたかのような記述で、想像するとかなり恐ろしい光景です。想像力のたくましい小説家の文章のようで、研究者にそう簡単に書けるものではありません。この文章を書いた研究者の資質について疑問を感じる人もいるかと思いますが、念のために書いておくと、鈴木尚先生は、東京大学の人類学教室の教授から初代の国立科学博物館の人類研究部長になった人で、山口先生の前の部長でした。当時の日本の人類学の第一人者といってよい人です。決していい加減な類推でものを判断したり書いたりされる先生ではなかったことは私も憶えています。しかし、その人をしても散乱の原因として津波を想像することはできなかったのです。

知識と現場を結びつける

震災と津波、それがたびたび日本列島を襲ったことを知識としてもっていても、そのことを発掘の現場にある眼前の事象と結びつけた研究者はいませんでした。知識として「知っている」ということと、それを本当に「理解している」ということは違うのでしょう。それは安全なはずの原子力発電所が爆発したような「想定外のことだった」ためなのでしょうが、私たちがここから学ぶべきことは多いように思います。既成の枠組み、自分の学問領域にのみ囚われていると、真実が見えないこと。特に、そもそも普段は自分がどのような前提や範囲でものを考えているのかも意識していないことなどです。物事を理解するということは、知っていることを全体の中に正しく位置づけること、周囲との関係を正しく捉えることなのだと思います。

それを考えれば、私たちの真実だと思っている事柄の中にも、新たな枠組みで考え直すとまた別の解釈ができるものも多いのではないかと思います。真実を追究する営みは常に行われていくべきで、その意味では研究にゴールはないのです。知っていることを理解するために、私たちは学び続けなければならないのでしょう。五松山の人骨は、私にそのことを教えてくれました。

最後に、この人骨の後日談を書いておきます。結局、レスキューした人骨は、九年以上にわたって国立科学博物館で預かることになりました。保管場所も新宿百人町からつくば市に新しくできた収蔵庫に変わりましたが、二〇二〇年八月に石巻市教育委員会から「博物館開館前ではありますが、博物館とは別に収蔵施設を整備し、収蔵環境が整ったこと及び展示工事に使用することから、資料を引き取らせていただきたい」という連

石巻博物館（マルホンまきあーとテラス）の
五松山遺跡を紹介するコーナー

絡があり、お返しすることになりました。この施設、マルホンまきあーとテラスは、震災から一〇年後の二〇二一年四月にオープンしています。五松山の人骨が弥生時代東北に暮らしていた人たちの実体を明らかにすると共に、津波の災害についても示す資料として伝えられていくことを願っています。また、将来的には全ての人骨片のDNA鑑定を行って、バラバラになった人骨を一体ずつにまとめることができれば良いと思います。今の技術ではそれも可能になっています。

津波災害に遭った人骨の扱いの方法を教えてくれた松井さんも、人骨の散乱情況を津波と結びつけることを教えてくれた山口先生も、いずれも鬼籍に入られました。もう彼らから直接教えを請うことはできないのですが、五松山の人骨が後世に残されていくことで、彼らの業績も伝えられていくことになります。

4　技術の開発と科学の進歩

人類の起源についての学説

線虫のゲノム研究で有名なシドニー・ブレンナーは、科学の進歩では技術の開発が先行し、それを用いた発見が続いた後に新たな学説が構築される、という順番をたどると述べています。これはサイエンスの世界では、多くの場合に技術革新が最初にあり、次にその技術を用いた新たな発見が続き、それらがまとまることで従来の学説が覆されていく、ということを示しているのですが、実際に二〇世紀後半以降の生命科学の分野の発展の多くは、そのような流れで捉えることができます。

たったひとつの細胞の中で起こっている遺伝子の働きを明らかにすることができるようになったことで、細胞生物学はここ一〇年の間に飛躍的に発展することになりました。同じ働きをしていると思っていた細胞同士でも、ひとつひとつの働きは微妙に違っていることも分かりました。がん細胞の集団も等質ではなく、その中に異なる性質を持つもの の集合体でした。抗がん剤も一つの種類では効かないこともあり、がんという病気に対する捉え方も大きく変わるようになったのです。またＤＮＡ配列を自由に書き替えることを可能にしたゲノム編集技術は、基礎学問だけではなく医療への応用が期待される段階へと進んでいます。これまで治療の方法がなかった遺伝病も、やがて治る病気へと変わることでしょう。技術革新は現代の科学にとってそれほど重要なのですが、これは私の専門の人類進化に関する研究についても当てはまります。

二一世紀になって、私たち人類の起源についての学説が大きく変わったのをご存じでしょうか。それまでは二〇〇万年ほど前にアフリカを出た原人と呼ばれる人類が世界の各地で独自に進化して、現代人になったと考えられていました。例えば北京原人はアジアの人々に、ジャワ原人はオーストラリアの先住民であるアボリジニになり、ヨーロッパではネアンデルタール人が進化して現代のヨーロッパ人になったと考えられていたのです。ところが、二〇世紀の終わり頃から分子生物学の技術革新が続いたことで、世界中の現代人の遺伝子が調べることができるようになると、この学説では私たちの遺伝的な特徴が説明できないことが明らかになってきました。世界中の現代人の遺伝的な違いは、一〇〇万年以上も別々に暮らしていたにしては、あまりに小さいことが分かってきたのです。また、現代人の中ではアフリカ人同士が最も違いが大きいことも明らかになり、ここから人類は二〇万年ほど前にアフリカで誕生し、その中のごく一部が六万年ほど前にアフリカを旅立って世界に広がって、私たちの祖先となったと考えられるようになりました。

核ゲノム解析がもたらした進歩

私の専門の古代人のDNA分析の世界も、九〇年代に古人骨のミトコンドリアDNAの一部の解析が可能になり、ネアンデルタール人と現生人類を比較することで両者の系統関係が確定しました。ただし、古人骨のDNA解析は技術的な制約から二〇年間ほどはミトコンドリアDNAの分析に留まって、膨大な情報を持つ核ゲノムの解析に踏み込むことはできなかったのですが、その壁を突破したのが次世代シークエンサの開発でした。試料中に残るDNAの断片を網羅的に配列決定するこのマシンは、古代人の核のゲノムの解析を可能にしました。核のDNAはヒトの体の設計図とも言われ、そのDNA配列からは、ミトコンドリアDNAと比べてはるかに多くの情報を得ることができます。古代人の全ゲノムが最初に発表されたのは二〇一〇年のことですが、その結果、絶滅したと思われたネアンデルタール人が、アフリカ人以外の現代人にDNAを伝えていたことが明らかになりました。これは出アフリカを成し遂げた集団が、中東のどこかでネアンデルタール人と交雑したということを示しています。彼らから私たちに伝わったDNAは一～四パーセント程度あり、私たちの隠れた祖先だったのです。

その後も人類の系統や集団の形成に関して、次世代シークエンサを使って古代ゲノムを解析した研究が次々に発表されるようになり、人類進化の研究は全く新しいステージに入ることになりました。ネアンデルタール人ゲノム解析の発表と同じ二〇一〇年にはシベリアの西部にあるデニソワ洞窟から出土した臼歯と手の指の骨から抽出したゲノムが解析され、それがネアンデルタール人でもホモ・サピエンスでもない人類であることが判明しています。このデニソワ人は化石の形態情報なしで名前がつけられた最初の人類となりましたが、彼らの遺伝子もパプアニューギニアやオーストラリアの先住民に数パーセント受け継がれていることが分かっています。私たちには、いくつもの別の人類と同時に暮らしていた時代があり、それぞれの間で交雑が起こっていたことが示されているのです。ホモ・サピエンスの成立の過程は、直線的なものではなく、いくつもの人類との交雑を経て現代へとつながっていました。

ホモ・サピエンス自体の成立史も、古代ゲノムを解析することで、いくつもの新たなシナリオが描かれるようになっています。なかば定説だったインド・ヨーロッパ語族の起源についても、それが中東の農耕民によってもたらされたのではなく、ユーラシアのステップの牧畜民に由来するものであることを明らかにしました。ヨーロッパでは五〇〇〇年前の青銅器時代以降、ほとんど置換に近い形で集団が入れかわった地域もあります。人類集団は常に混じり合い、移ろっていくものなので、過去にも現在にも「純粋な集団」などは存在したことがないことも明らかとなりました。

私たちの研究室でも、このマシンを使ってひとりの縄文人女性の全てのDNA配列を決定しました。その結果、彼女の髪や目、肌の色、どんな病気にかかりやすかったのか、あるいは血液型までも明らかにすることができました。また縄文人はホモ・サピエンス

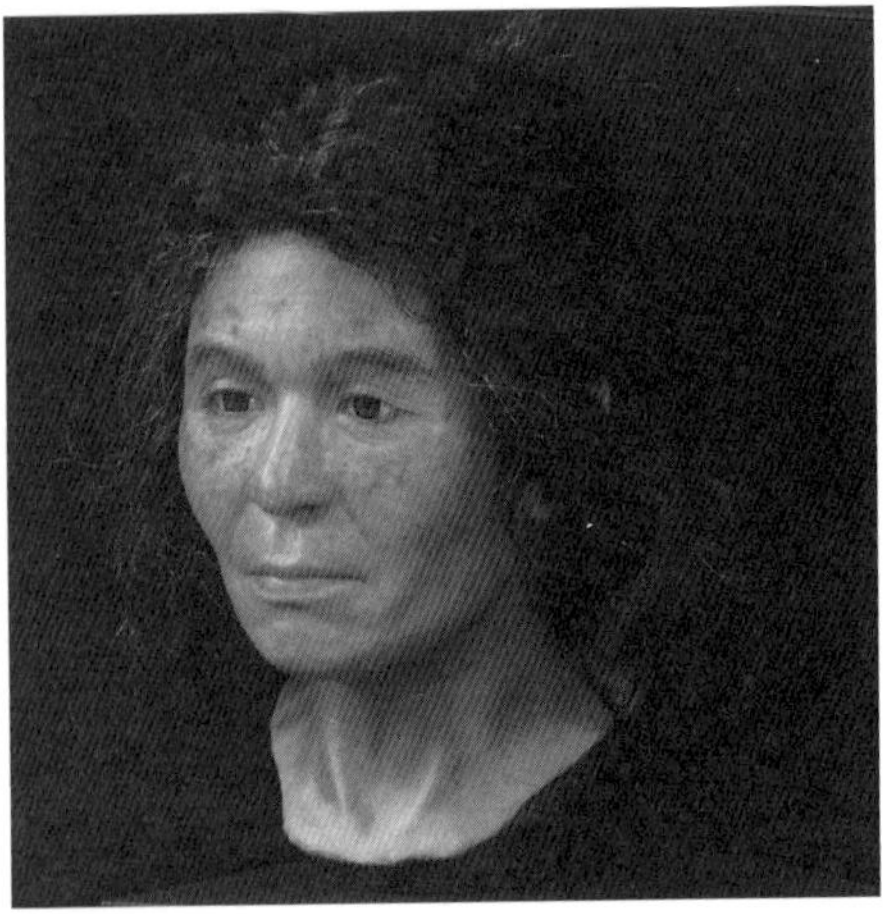

ゲノムデータで顔を復元した縄文人女性

が東アジアに展開した四万年ほど前までさかのぼるアジアの基層集団から派生したことも明らかとなっています。古人骨の形態の研究からは、弥生時代になると、大陸から水田稲作と金属器の文化を持った渡来系弥生人が北部九州に進出し、在来の縄文人の子孫と混血しながら、本州を中心とした地域に進出したというシナリオが提示されているのですが、縄文人や弥生人のＤＮＡの分析では、弥生時代以降に日本人の遺伝子の構造は大きく変わり、現在の私たちの遺伝子の大部分はこの時代以降に日本列島にもたらされたものだということが分かっています。現在の研究は在来の縄文系の人々と渡来してきた人々の混合の様子の解明に移っており、これまでの骨形態の研究とは比較にならない精密なシナリオを描き出すようになっています。古代ゲノムの研究は、今や集団の歴史を解明するための必須の手法となっており、人類進化学のもっともホットな領域なのです。

拡大する実験規模

一方で次世代シークエンサは、研究のスタイルも一変させることになりました。二〇世紀までの古代人のDNA分析は、基本的には発掘からDNA解析、そして論文の作成までひとりで行うものでした。個人の努力で論文が書かれていたのです。しかし現在では、研究を進めるためには多額の費用も必要になり、多くのデータを得ようとすると高額の研究費を獲得する必要があります。二〇一〇年の最初のネアンデルタール人のゲノム解析では、数億円の費用がかかったと言われています。私たちが縄文人ゲノムひとり分を解析した二〇一五年には、一体で三〇〇万円ほどの費用がかかりました。更に、データの解析が複雑なので、コンピュータ解析が得意な研究者もチームに入れて、多人数で研究する必要があります。古代ゲノムの最先端の研究では、一〇〇名を超える共同研究者がいるものも珍しくありません。完全に分業体制で、まるで工業製品のように論文が生産されています。ひとりで、どんな結果が出るのかドキドキしながら実験をしていたころが懐かしく思い出されますが、このような科学の進歩がはたして良いことなのか、議論の分かれるところだと思います。

なお、この古代DNA研究を一貫して主導したのが、マックス・プランク進化人類学研究所のスバンテ・ペーボ博士で、彼は「絶滅した人類のゲノムと人類の進化に関する発見」によって二〇二二年のノーベル生理学・医学賞を受賞しています。人類の起源に関する考え方の変更は、直接には私たちの生活を変えるものではありません。これまで多くの医療の革新につながる研究が受賞してきたノーベル生理学・医学賞が、進化人類学のような基礎的な研究に与えられることは大変珍しいことです。しかし、世界に広がり八〇億人もいる人類は、歴史的に見ればごく最近に成立したのであり、世界中の人間には遺伝的な違いはほとんどない、という事実はやがて人々の考え方を変えることになるでしょう。

その成果は、考古学や歴史学、言語学といった人類学の周辺の分野に留まらず、人間とは何かという哲学的な命題を扱う研究にも大きな影響を与えるものとなっています。近年の自然科学分野の研究で、人文社会科学の広範な領域にここまで大きな影響を与えているものはないでしょう。その意味でペーボ博士にノーベル賞が与えられたのは当然のこととも思えます。ガリレオが、地球が動いていると主張しても、人々の生活は変わりませんでした。しかしそれはやがて人類の世界に対する見方を大きく変えることになりました。同じことが人類進化の研究分野でも起こっています。

5　新たなテクノロジーと出会うとき

飲酒で滅亡した民族

前の章で、技術の進歩が新たな科学を生み出すという話をしました。それでは新たな技術は社会に何をもたらすのでしょうか。当然ですが生活が便利になる、ということはあると思います。しかし、それまでの生活を一変するような技術が導入される場合には、それなりの摩擦が生じます。この章ではそのことについて考えてみましょう。

技術の問題とは少し異なりますが、お酒との付き合い方について教訓となる話があります。人類と酒の付き合いは長いのですが、お酒を全く飲まない社会もあります。教義として飲酒を禁じているイスラム教は別にしても、北極圏や南極に近い地域では、そもそも気温が低くて微生物による発酵が妨げられるので、醸造酒をつくることが難しいのです。このような場所では飲酒という習慣自体が発達しない社会がありました。

ヤーガンの暮らしたフエゴ島の真夏（12月）の風景

六万年ほど前にアフリカを出た人類が南米先端にたどり着いたのは一万五〇〇〇年ほど前のことになります。南太平洋の島々を除けば、人類が最後に到達した地域です。ヨーロッパ人が新大陸を「発見」した時には、そこにあるフエゴ島には先住民族のヤーガンが住んでいました。彼らは一九世紀以降のヨーロッパ人の本格的な進出によってほぼ絶滅してしまったのですが、その最後の一人となった女性（クリスティナ・カルデロン）に、「あなたの民族の最後の一人として、人類に何か言い残したいことはありますか」と尋ねた人がいます。それに対して返ってきた彼女の答えは「酒は飲んではいけない」という意外なものでしたが、そこには彼女の経験が反映しています。彼らの社会も酒を発明することがありませんでした。そこに西洋文明とともに酒が入ったことで、彼女は、朝から酒浸りになり、仕事をしなくなった男たちを見てきました。先住民の保護政策も、彼らに酒を買う費用を工面する結果になってしまいました。彼女の目には、飲酒が彼らの社会が滅亡する大きな要因として映ったのでしょう。その言葉は残る人類に対して、酒なんか飲むとろくなことはないから気をつけろ、という最後の忠告だったのです。

ここには、新たな文化の受容とそれに伴う社会の変化という普遍的な問題があります。考えてみれば分かるように、私たちの社会は、長い時間をかけて酒との付き合い方を学んできたので、その中にさまざまな制約を持っています。飲酒をしての車の運転は法的に禁止されています。また一般的な常識として、会議や授業の前に酒を飲む人はいません。だから社会はうまくいくのです。つまり飲酒という習慣には、単に酒を飲むだけには留まらない、さまざまな約束が付帯しています。それを一緒に導入しないと社会は混乱するのです。ヤーガンの男たちはそれを気にすることなく、飲酒の習慣だけを受け入れてしまった結果、滅亡への時計を進めることになったのです。

システム全体を考える必要がある

　やや脱線しますが、お酒については私たち日本人にも関係する話があります。その成分であるアルコールは、体の中でいったんアセトアルデヒドに分解され、続いて酢酸と水に分解されます。アセトアルデヒドは毒性の強い物質で、代謝されずに血液中に流れ出すと頭痛などの原因となり、いわゆる二日酔いや悪酔いの状態を引き起こします。ですからアセトアルデヒドを酢酸に分解する過程は重要です。私たちの中には、ほんのわずかなお酒を飲んだだけでも真っ赤になったり、すぐに気持ちが悪くなる人もいれば、いくら飲んでも顔色ひとつ変わらない酒豪もいます。実はその違いは、体の中でアセトアルデヒドを酢酸に分解する酵素が正常に働くか否かにかかっているのです。この遺伝子は両親から受け継ぎますから、私たちの中には、正常型の酵素をセットで持っている人と、ひとつ持つ人（もう一方は変異型）、全く持たない人（二つとも変異型）の三つのタイプがあることになります。お酒に強い人、少し強い人、全く受け付けない人の三種類がいることになります。

実は、この変異した型は中国南部を中心とした極東アジアの地域に多く、そこから離れると徐々に保有率が低下していくことが分かっています。ヨーロッパやアフリカの人々には、変異型の遺伝子を持つ人はほとんどいませんし、ヤーガンのような南米の先住民には、更にごくわずかです。日本人全体では、正常型を二つもつ人が五六パーセント程度、一つの人が三八パーセント、全くお酒を受け付けない変異型二つの人が四パーセントほど存在すると言われています。とかく宴席で重要なことが決まる日本の社会ですが、その中にアルコールを体質的に受け付けず、酔うことのない人が一定程度混ざっているというのはなかなか示唆的です。案外、そのことが酒席での意思決定を可能にしているのかも知れません。

ヤーガンは、もともとは裸族でした。雪も降るような極寒の地域で、裸で暮らしていたというのも信じられない話ですが、それでも彼らは子孫を残し文化を守っていたのですが、その習慣を野蛮と見なしたヨーロッパ人は彼らに衣服を強制しました。しかし衣服を定期的に着替えて洗濯する習慣までは教えなかったので、彼らは不潔な着物を着続けることになり、病気になるものも多かったといいます。これもシステム全体を考えずに現象面だけを見たために失敗した例になります。善意を押しつけた側には特段の被害はありませんが、押しつけられた方にとってはたまったものではありません。これも彼らを滅亡に導く要因となったのです。このようなことは、一六世紀以降に西欧社会が進出していった世界の先々で起こったはずです。特にそれが宣教であったり善意であったりした場合は、やっている側に悪意がないだけにやっかいです。私たちは、ここから何を教訓として学ぶべきかを考えなければならないでしょう。現代でも、価値観の押しつけは世界の各地で摩擦を起こしています。私たちはそろそろ「自分だけが正しい」という思い込みを捨てるべきなのだと思います。

約束の重み

新たなテクノロジーが社会に浸透するときにも同じようなことが起こります。霊長類学、いわゆるサル学はサルや類人猿を研究対象とした、日本が世界をリードしている分野の研究です。第二次世界大戦が終わって間もない頃、まだ日本が豊かではなかった時代に研究者はニホンザルの社会構造の研究を始め、やがてアフリカで長期間にわたるゴリラやチンパンジーの生態を観察して、その社会構造を明らかにしてきました。初期のアフリカ調査に参加した今西錦司の『ゴリラ』、河合雅雄の『ゴリラ探検記』、そして伊谷純一郎の『ゴリラとピグミーの森』という著作からは当時の状況を知ることができます。研究は現在も続いており、私たちの社会の成り立ちを考える際に重要な知見を与えています。

そんな黎明期の研究者のひとりから、当時のアフリカでの調査の話を聞いたことがあります。研究者は一年間ほど現地に滞在して調査をして、帰りの飛行機の切符を持って来てくれた次のメンバーと交替して帰国するというシステムだったそうです。一年先のチケットは購入できないので、交代のメンバーが購入して持ってきていたのです。一年後のこの日に、あらかじめ決めておいたアフリカの草原で落ち合う、という約束をしていたそうで、その間は音信不通になっていたという話でした。この場合どちらかが約束を守れないと、とんでもないことになるのは容易に想像がつきます。一年もあれば状況も変わるでしょうし、不測の事態が起こることも考えられます。しかし彼らは、この約束だけは守らなければならなかったのです。それほど約束の意味は大きいものでした。

探検家の関野吉晴さんからも似たような話を聞いたことがあります。彼がペルーアマゾンの先住民であるマチゲンガ族の社会で暮らしていたとき、隣の部族の人間と会うときには、次の満月の夜にこの場所で、というような約束をすると言っていました。これも一旦約束をすると後で変更することはできません。マチゲンガの人たちも今では携帯電話を持っているそうですが、電波が届かないのでもっぱらミュージックプレイヤーとして使用しているそうです。これもシステム全体が入らなかった例ですね。

ひるがえって私たちの社会はどうでしょうか。約束の持つ重さは、随分と軽くなってしまったような気がしますが、その一番大きな要因は、通信網の発達にあるのだと思います。私たちはどこにいても、少なくともスマホを持った同士では連絡を取ることができます。直前でも都合が悪くなればメールや電話をして、スケジュールを変更することも可能になりました。スマホの出現よりも前の時代には、駅に伝言板があってメッセージを残していくシステムがありました。個人情報を晒してまでそうしなければならなかったことを考えれば、今の時代は便利になりました。しかしその一見便利なように見えるシステムの裏で、私たちは大切なものを失っていることにも気がつくべきでしょう。

約束が軽くなっているのです。今は、一度した約束はどうしてでも守るというマインドが、場合によっては後で変更できるものになっています。ネットでレストランを予約していても、都合が悪くなればすぐにキャンセルできる、という状況の延長線に連絡もせずに店に行かない、という事態があるのだと思います。

「歩きスマホ」もそうですし、SNS上での炎上騒ぎなどというのも、社会が新たなテクノロジーをどのように受容するべきなのか、どのような制約をかけるべきなのかが定まっていないことに起因する混乱なのだと思います。このような問題に対しては、国のレベルではまず法的な制約をかけることを考えますが、目に見えて被害が予想されるもの以外には、法的な縛りはあまり意味がありません。新たなテクノロジーを受容するとき、それに伴って社会をどう変えなければならないのか、変化の速い現代ではよく考える必要があるのでしょう。そのためには人文学や社会科学の知見も併せて考える必要があるはずです。

自然科学と人文・社会科学の連携

二〇二二年の暮れには、人工知能（AI）を開発するOpenAI社がインターネット上で利用できるChatGPTを公開しました。これは簡単に言うと、インターネット空間に存在する膨大なデータをもとに深層学習によってAIが質問などに答えてくれるシステムですが、その完成度の高さから社会に大きな衝撃を与えました。アメリカの教育機関の中には学生による論文作成への利用を禁止しているところもあります。現状では人間に変わってさまざまな仕事をしてくれるレベルにはないようですが、この分野の急速な進歩を考えれば、近い将来にはこの技術が社会を大きく変えていくことは間違いないでしょう。

私たちは、どのような社会でどのように生きていくべきなのかを議論するときが来ているのだと思います。その時には、保守派と革新派といった二項対立になることを避けることも必要でしょう。これは旧来の二項対立で解決できる問題ではありません。科学技術の振興に関する施策の基本事項を定める法律である科学技術基本法では、二〇二〇年の改定で法の対象である科学技術の範囲に人文・社会科学を積極的に位置付けました。社会が解決を求めるさまざまな課題に学術が貢献するためには、自然科学と人文・社会科学とが緊密に連携し、総合的な知の基盤を形成することが不可欠であることから、このような方針となったのだと思います。この法律が従来の科学技術の範囲に積極的に人文科学を取り込むことで新たな展開を図ったように、この問題を考える際には、全く新しい枠組みが必要になるのだと思います。

〈コラム①〉「スケール」に着目する

生物学の区分

私の専門である自然人類学は、人間の生物学的な側面を中心に研究する学問領域です。したがって大きくは生物学の一部ということになります。生物学は「生物とは何か」ということの解明を究極の目的としていますから、人間とは何かということを生物学的に明らかにするのが自然人類学の目的になります。

ところでこの生物学の研究分野はどのように区分されているのでしょうか。生物学の分野の例として、例えば動物学とか植物学、あるいは昆虫学などという名前を聞かれたことがあると思います。これは対象とする生物の名前がついているもので、自然人類学も同じです。対象とする生物種をさまざまな方法で研究して、その生物の実体を明らかにすることを目的とする学問領域です。一方、遺伝学とか生態学などという言葉も聞かれたことがあると思いますが、これらは遺伝とか生態といった生物一般に広く見られる性質を研究する学問です。前者が個別の生物を取り扱うのに対し、後者は生物が持つ普遍性を扱うことになります。とはいえ対立する概念ではありませんから、人類遺伝学とか、昆虫生態学などという学問領域も存在します。

更に他の自然科学の分野と同様に、生命現象を解明するための方法として、スケールの違いで区分するというやり方があります。生物を構成する要素は、さまざまな大きさのレベルに区分できると考えて、領域を規定していくのです。日本の研究者にとって最大の競争的資金である日本学術振興会が給付する「科学研究補助金」の生物学の応募分野は、この方法で分野が分けられています。生物分野の審査区分は、まず生物を大きく二つ、「分子レベルから細胞レベルの生物学」と「個体レベルから集団レベルの生物学」に分けています。最も小さいのが生物を分子や原子のレベルで研究する分野になります。最近では生命現象の解明には、物理現象の最小単位である量子のレベルでの研究も必要だということも指摘されていますから、今後は更に細かいレベルの生物学分野も重要になっていくはずです。

さまざまな分子の組み合わせで細胞ができあがるので、次のレベルは細胞ということになります。細胞の働きを調べる細胞生物学は、現代の生物学では最も重要な分野です。同じ性質を持つ細胞の集まりを組織と呼び、さまざまな組織が集まって、心臓や肝臓といった各種の器官（臓器）ができあがります。そして、同じ働きをする器官同士の集まりが、神経系や循環器系といった器官系になります。ヒトを含む多細胞の生物は、器官系の組み合わせによって個体が構成されています。個体レベルの生物学では、細胞を中心にしてより小さなレベルでは細胞内の物質の働きを調べ、大きなレベルでは細胞の集合の性質を調べています。

もう一方の「個体レベルから集団レベルの生物学」というのは直感的に理解しやすいと思います。個体が集合して社会ができるのは人間だけではなく他の生物も同様です。同種の生物の個体間の関係や社会の実体、他の生物との関係を調べるのが集団レベルの生物学の目的です。生態学や進化学などはこの分野の学問になります。なお、分類学もこの個体以上のレベルの生物学に含まれているので、国立科学博物館の動物と植物、そして人類研究部に属する研究者の多くがこの分野を専攻しています。しかし最近の分類学はＤＮＡ情報を使った系統解析が盛んに行われていますので、個体以上のレベルの研究者が、分子レベルの研究手法を用いるということもよくあります。研究方法に関しては分野の壁は崩れつつあるのです。私も古代人のゲノムを調べているので、方法自体は分子レベルの研究と同じですが、そこから得られた結果を使って、人類集団の移動や日本人の起源といった個体レベル以上の領域を研究しています。

要素に分解する方法の限界

このように生物学では対象のスケールの違いによって領域が区分されるのですが、これは自然科学では、昔から研究対象を要素に分解して調べていくという方法をとっていたことを反映しています。その結果として、学問はより細かいレベルでの解析を行うように発展したのです。それを後押ししたのが観測機器の進歩なのですが、一方でそれぞれのレベルに特徴的な性質があることも分かってきて、現在のような研究分野が成立してきました。しかし各レベルで知見を集積していっても、生物とは何か、という最初の問いにはなかなか到達しないことも明らかとなっています。

たとえば哺乳類の肝臓は高い再生能力があり、ヒトでは三分の二を切除しても二週間ほどで元の大きさに戻ることが知られています。しかし再生するにしても、なぜ元の大きさに戻ったところで増殖は止まるのでしょうか。細胞や器官の成長を制御する仕組みは少しずつ明らかになっていますが、全貌については分かっていません。更に、体のサイズそのものを決めるメカニズムについては、いまだに多くの謎が残っています。大きさや形の調節の仕組みなどについては、従来のレベルで区分した研究方法では真実に近づくことが難しいのです。生物とは何か、という最初の問いに答えを出すために、大きさのレベルを超えた統合も始まっています。

人類進化を考える時間のスケール

大きさを基準として区分されている生物学ですが、生命現象を考える際には別のスケールも存在します。それが時間です。しかし両者は全く別のものかというとそうでもなくて、生物学における大きさの尺度と時間の尺度にはある程度相関があります。例外はありますが、一般により小さなスケールの現象を観察するときには時間のスケールも短くなります。逆に個体や社会のレベルで考える進化学などでは、通常は数万年から数億年のレベルで研究を行います。それでは自然人類学における時間のスケールはどのようなものなのでしょうか。実は「人間とは何か」という問題を考える時に、どのような時間のスケールで考えるのかということは、大きさのスケールよりもはるかに重要なのです。

人類の進化に関して、今のところ最も長いスケールは七〇〇万年間を考えるもので、これは現在生きている生物の中で、私たちホモ・サピエンスに最も近縁な生物であるチンパンジーとの共通祖先と分岐したと考えられている年代から現在に至るまでの時間です。七〇〇万年前から人類進化を考えるということは、ヒトに至る化石人類の間の系統関係について考えることです。化石の変化を追いながら、どのように今の私たちに近づいていったのか、その順序を研究することになります。

最近はあまり見かけませんが、人類の進化の二〇〇万年間を対象とする研究もあります。私たちを含むホモ属は二五〇〜二〇〇万年前に誕生したと考えられているので、それ以降の変化を研究するのです。脳の容積や体の特徴から、この時期の化石人類の中には私たちのグループと考えてよいものが誕生しました。ですから一〇〇万年はホモ属がどのように進化して、サピエンス種が生まれたのかを考える時間のスケールです。

人類を進化二〇〇万年間と捉える考え方もあります。これは少し前まではホモ・サピエンスの誕生が二〇万年前と考えられていたことを根拠にしています。この場合はホモ・サピエンスの歴史を研究するわけですが、この数字は、現代人のミトコンドリアDNAの共通祖先の存在した年代の推定値から導かれています。しかし最近では化石の証拠がもう少し古い時代までさかのぼることから、ホモ・サピエンスの誕生を三〇万年ほど前とする考え方もあります。一方、ネアンデルタール人のゲノムが解析されたことで、彼らとホモ・サピエンスの分岐がおよそ六〇万年前に起こったと推定されるようになりました。両者はその後も交雑を繰り返していますので、六〇万年前に分かれてから、それぞれが独自の進化の道を歩んだわけではありませんし、そもそも六〇万年から三〇万年前まではホモ・サピエンスの化石証拠がありませんから、どのような祖先から変化して現在に至るのかは不明です。しかし将来的には化石が見つかって、この間の事情についても分かる日が来るでしょう。ホモ・サピエンスの誕生から現在に至るまでの歴史を考える際には六〇万年というのがひとつの区切りになります。

ホモ・サピエンスはどのくらいの長さの時間で、何をなし遂げたのか

ここまでは、ホモ・サピエンスがどのようにして現在の姿になっていったのかという進化の話ですが、これ以降の時間のスケールは、ホモ・サピエンスというひとつの種の物語を考えることになります。狩猟採集民だった私たちの祖先が、六万年前の出アフリカ以降、世界に広がっていった過程の物語です。更に一万年前以降だけを取り扱うのであれば、農耕を開始した社会が文明を生み出すまでの歴史が対象になります。農耕の発祥地から、その技術がどのように広がり、やがて文明を生み出すまでに何があったのか、それを解明する研究です。

文字が発明された五〇〇〇年前以降になると、真の意味での歴史が始まります。

人類について研究する場合には、時間のスケールの取り方で、解明する内容が変わってくるのです。ちなみに現代人の遺伝的な多様性を調べるときには、通常は三代前までの祖先をさかのぼって同じ地域に住んでいる人をその地域の代表と考えています。現代人のゲノム研究は、この時間スケールでものを考えています。

私たちホモ・サピエンスはアフリカで誕生して、長い間アフリカで暮らしていました。そこで種として完成したわけですから、出アフリカをなし遂げた人々は今の私たちと知力・体力ともに同じような能力を持っていたはずです。それが世界に拡散する中で、それぞれの地域の環境に適応して、現在見られるような容姿の違いが生まれたのだと考えられます。世界中には多様な文化が見られますが、それらはもともと同じ能力を持った人たちが、環境や歴史の違いの中で、何を選択したかによって生じたものなのです。古代ゲノムの分析が進んでくると、人類は現在に至るまで、離合集散の歴史を繰り返してきたことも明らかになっています。同じ文化を持つ民族集団の歴史は長いものでも数千年程度だということも分かっています。長く続く純粋な人類集団などというものは、神話が生み出した幻想に過ぎないのです。

ではそのような人類史を私たちはどのように捉えているでしょうか。それを学校で教えるのは高等学校の生物学と世界史になりますが、生物学で学ぶのは、七〇〇万年の人類進化の歴史です。基本的には化石人類の系統関係の理解が学習の目標とされています。一方世界史では、化石人類の紹介と石器や洞窟壁画などの文化遺物の説明があり、次に文明の発達が語られます。その後は地域文明の発展過程を追っていく記述になるのですが、ここで欠落するのは、世界の文化や文明の多様性が、アフリカを旅立った共通性の高い集団から派生したという事実です。

この人類の拡散過程に関する記述がないために、さまざまな文明が同じ能力を持ったホモ・サピエンスが造りあげたものとして理解されていないことは問題です。文字記録もなく、考古遺物の証拠も乏しいゆえに、これまで六万年から一万年前までの歴史が顧みられなかったことには仕方がない面もあります。しかし、文化の多様性が共通性を土台として花開いたことは、今の世界を理解する上で必須の知識です。現在では、古代ゲノム解析が世界の各地で行われ、猛烈な勢いでホモ・サピエンスの集団の歴史が解明されつつあります。人類の歴史を学ぶ最初にそのことを伝えておくことは重要なことだと思います。

過去の出来事は、未来を考えるために重要なのですが、人類史の中での時間の尺度の取り方に配慮することが重要です。未来を考える時、どのくらい先の未来を考えているのか、あるいは考えるべきなのか、私たちは案外気にしていません。未来は単に先のこと、という程度の認識なのです。地球の温暖化にしても、文明の盛衰を考える数千年のレベルで見ると、現在の地球は寒冷化に向かっています。やがて氷河期が来ることが予測されますが、それをもって地球温暖化は間違いだという議論をすることはできません。今の温暖化の議論は三代くらい先までの子孫が最も被害を被る出来事だからです。

逆に三代くらい先までの子孫が恩恵を受けるという理由で、半減期が一〇万年もあるような放射性物質を後世に残して良いのかという問題もあります。一〇万年前に人類がどこでどのような生活をしていたのかを考えれば、その途方もない長さに気がつくでしょう。とりわけ難しいのは災害で、寺田寅彦が言ったとされる「天災は忘れた頃に来る」という警句は、まさに人類史の中での時間の認識の難しさを示しています。

私たちホモ・サピエンスがどのくらいの長さの時間で、何をなし遂げたのかを知っておくことは、未来を考える際にも重要なのです。私たちは時間のスケールを自在に変えて、人類史を眺めてみることに慣れる必要があります。自然人類学を学ぶことは、人間とは何かという問題を解決するためだけでなく、今の世界や人類の将来を考えるためにも大切なのです。

PART 2 博物館の役割

上野・国立科学博物館の日本館の正面

1　クジラと機関車　国立科学博物館の歴史

二つのオブジェ

東京・上野の恩賜公園内にある国立科学博物館の正面には、向かって右に実物の機関車（SL）、左にシロナガスクジラの巨大なオブジェが置かれています。国立科学博物館の基本的な使命は、科学技術史と自然史の標本・資料の収集と保管・継承、それに基づく研究とその成果の一般への公開とされています。そういうわけでこれらのオブジェは、産業技術史と自然史を象徴するものとして置かれているのですが、実はこの二つの分野を同じ博物館が持つのは世界的に見れば珍しく、ヨーロッパやアメリカでは、自然史の博物館と科学博物館はそれぞれ独立しているのが普通です。

イギリスでは大英自然史博物館（ロンドン自然史博物館）の隣にロンドン科学博物館がありますが、両者は全く別の組織です。自然史の博物館は、一七世紀以降のヨーロッパ諸国の世界進出に伴って集められたさまざまな標本をもとに発展してきたのに対し、科学館は産業革命以降の工業化を推し進めた記念碑的な機械類を集めていますから、そもそもの出自が異なっています。日本で両者が一体化しているのは、欧米とは博物館の成立の経緯が異なっているからなのです。日本では明治以降の近代化の中で、西欧の進んだ科学・技術を取り入れていく必要がありました。そのための教育機関として科学博物館も設立することになったのです。ここでは国立科学博物館の設立の経緯を説明し、徐々に自然史の博物館としての性格を強めていった歴史を紹介したいと思います。

殖産興業の時代

一八七七年（明治一〇年）、現在では東京芸術大学がある場所に教育博物館が設置されました。これが国立科学博物館の前身の施設になります。ただしその後の一八八九年には高等師範学校の附属となり、場所も湯島に移ったことで博物館としての本格的な活動が停滞する時期が続くことになりました。その後、大正年間になると科学技術や産業の発展が国を強くするという考えのもと、日本に本格的な科学博物館を作る構想が興ります。ある意味、国に本格的な科学博物館を設置する余裕ができたのがこの頃だとも言えるのでしょう。計画は関東大震災で一旦は頓挫しましたが、一九二八年（昭和三年）から上野で工事が始まり、一九三〇年には概ね完成します。その後、震災による被害を免れた資料を湯島から移しましたが、これは実に四一年ぶりの上野への回帰でした。

博物館は一九三一年（昭和六年）一一月二日に正式に開館し、この日が現在でも国立科学博物館の開館記念日となっています。なお、この時の組織の名称は東京科学博物館でした。それ以前は東京博物館と呼ばれており、この時に初めて「科学」という名称が加えられました。当時は博物館と言えば美術品や考古遺物、歴史遺物の保管と展示をする施設という認識が強く、科学の博物館であるということを示す為に、この名称が選ばれたと言われています。現在の国立科学博物館と名乗るのは、一九四九年（昭和二四年）五月三一日以降のことになります。

国立科学博物館は二〇二七年には創立一五〇周年を迎えることになりますが、このような経緯から、本格的な博物館としての活動は一〇〇年ほどということになります。当初は社会教育、学校教育のための博物館という性格が強い施設でした。上野本館（日本館）を上から見ると飛行機の形をしているのですが、これは当時の最も先端的な乗り物を模したものであるという話もあります。実際に設置された研究部を見ると、理工学部、天文学部、動物学部、植物学部、地学部、工業部、産業部であり、自然史と産業技術に関わる部門の規模は同程度でした。なお工業部は機械、電気、土木、建築、交通運輸、化学工業、繊維工芸、鉱山といった第二次産業を、産業部の方は農林、漁業、水産、牧畜といった第一次産業をカバーしていました。当時の日本では産業と言えば農林水産業を指していたのです。

日本館は地下一階、地上三階の建物で、南北両翼に展示室が合計で八室あり、これは現在も変わっていません。当時の図面を見ると、来館者が最初に訪れる一階の南北の展示場はいずれも理工系の展示室となっており、あとは動物が三部屋、地学二部屋、植物一部屋の構成です。最も目立つ部分に理工系の展示があることは、この時代の雰囲気を表しています。この時に館章も制定されているのですが、その外形はニュートンのリンゴの断面を模しており、中心に光学を象徴するプリズムを置いて、中には博物館を示すカタカナの「ハク」が描かれ、外に向かって放射線が出ているデザインになっています。

日本館の航空写真

館章

理工系のセンスでデザインされたシンボルであることが分かります。後述しますが、国立科学博物館の筑波実験植物園には、ニュートンのリンゴの木（本PART「4」参照）があります。これは東京大学の小石川植物園から分けてもらったもので、最初は新宿の分館にあったものが後に植物園に移植されたそうです。現在でも見ることができますが、残念ながら実をつけることはないようです。

戦時下には既に自然史博物館としての性格を強める改革がなされており、一九四二年（昭和一七年）には理工学部、天文学部、工業部、産業部を合併して理科学部としてまとめる組織改革を行っています。明治以来の殖産興業の流れの中で設置された理工系の部門と、自然史を中心とした部門の二つを併せ持つのが国立科学博物館の特徴ですが、この頃から自然史部門の比重が大きくなっていったようです。

復興の象徴としての再開館

上野本館の歴史の中で、科博の管理が一度だけ他所に移ったことがあります。それは一九四五年（昭和二〇年）三月一〇日の東京大空襲を機会に陸軍に接収された時です。

終戦までの数ヶ月でしたが、疎開できなかった標本類は軍によって全て破棄されてしまいました。いつの時代でも戦争の犠牲になるのは立場の弱いものですが、博物館の標本類もその例外ではありません。世界中の自然史博物館も戦争によって多くの被害を受けた歴史を持ち、かつて日本で採取された貴重な標本が失われてしまった例もあります。

東京科学博物館は、終戦の年の一二月には早くも再開館しています。国からの命令で再開館を急いだようですが、それは復興を目に見える形で示す必要があったためなのでしょう。しかし当時の記録には、「上野駅から地方に戻る人びとが、軍に取り壊された木造建築の別館の残りを、暖を取るために薪にしていて困っている」とありますから、相当の混乱の中での再出発だったのだと思います。おそらく、この時期が国立科学博物館の歴史の中で最も厳しい時代だったと思います。ちなみに一九四九年のキティ台風で別館の残存部分がダメージを受け、一一月二八日に自然崩壊しました。戦後数年を経ても上野本館の周辺は相当に荒れ果てていたことがうかがえます。

戦後には朝鮮戦争による特需によって日本経済が持ち直したこともあり、再び科学技術の振興がうたわれるようになりました。学校教育でも理科や技術科が重要視されるようになったので、上野地区に本館の他に新たに理工学館の建築が計画されました。工事は五期に分かれて実施され、最終的には一九六五年（昭和四〇年）に完成したのですが、建物の全体が理工系の展示に充てられることにはなりませんでした。一九五八年（昭和三三年）に日本学術会議から自然史科学研究センター（仮称）の設立の要望書が出されたことを契機として、国立科学博物館の性格が大きく変わることになったのです。

高度経済成長期へ

日本学術会議という組織のひとつの目的は、科学に関する重要事項を審議し、その実現を図ることです。当時の日本学術会議は政府に対して大きな影響力を持っており、その提言は重く受け止められていました。しかしこの時の政府には、学術会議が提言するような自然史の研究機関を新たに設立する意志はありませんでした。そこで一九六二年（昭和三七年）に、本来は社会教育機関と位置付けられており研究機関ではなかった国立科学博物館を拡張するという形で学術会議の要望を実現することにしました。これによって国立科学博物館に本格的に自然史の研究センターとしての機能が付加されること

アロサウルスの骨格標本（1964 年撮影）

になりました。学術会議が要望したのは、博物館機能も持つ自然史の研究機関でしたが、実際には国立科学博物館を本格的な研究機能を持つ博物館として機能させることで応えることにしたのです。

この改革に伴って研究部門の改組と研究員の充実が図られます。ちなみに一九六一年時点での研究部は、動物学課、植物学課、地学課、理工学課、工学課の五部門三〇名でしたが、翌年には古生物学課と極地学課が新設されて七部門、定員は四〇名体制になりました。その後も改組や定員の増加が行われて、一九六七年（昭和四二年）には動物研究部（三研究室）、植物研究部（二研究室）、地学研究部（四研究室）、理工研究部（二研究室）、極地研究部（二研究室）で合計六六名の体制になります。この期間が、国立科学博物館が最も発展した時だと言えるでしょう。その背景には言うまでもなく、日本が高度経済成長をなし遂げて先進国の仲間入りしたという事情があるのだと思います。なお極地研究部は、規模を拡大して極地研究センターとなり、一九七三年には国立極地研究所として独立しました。

それと前後しますが一九七二年には人類研究部が設置（当初は研究室、一九七四年に研究部に昇格）され、現在に至る研究部の体制が完成しました。そして二〇〇七年には細分化されていた研究室をまとめて、動物研究部（三グループ一八名）、植物研究部（三グループ一六名）、地学研究部（三グループ一三名）、人類研究部（一グループ五名）、理工研究部（二グループ八名）の体制となりました。

つくば市にある収蔵庫

現在国立科学博物館には、上野の本館の他に、港区の自然教育園、茨城県つくば市に実験植物園と研究施設・収蔵庫があります。自然教育園はもともと陸・海軍の火薬庫で、その後に白金御料地となっていた場所で、戦後は一九四九年から一九六二年三月までは文部省が所管していましたが、その後移管されたものです。筑波実験植物園は一九七四年に建設が開始され、一九八三年に一般公開が始まりました。研究部は、一九四一年に新宿百人町に設置された財団法人資源研究所の跡地を一九七〇年に新宿分館として整備して使用していましたが、施設の狭隘化と増え続ける収蔵品の収納のために新しい施設を筑波実験植物園の敷地内に整備して、二〇一二年に移転しました。これによって全ての研究部は筑波地区に統合されています。

収蔵庫も筑波地区に集約されていますが、実は国立の博物館で展示場と収蔵庫が別の敷地にあるのは国立科学博物館だけです。展示替え等を考えれば、本来収蔵庫と展示場は近接してあるのが理想的です。それができないのは絵画や芸術作品と違い、自然史や産業技術史の資料は膨大で、また収集の速度が速く、あっという間に収蔵品が増えるために、土地に余裕のある場所に収蔵庫を置かなければならないためなのです。ちなみに国宝などを収蔵する東京国立博物館の収蔵品は一〇万点程度なのに対し、国立科学博物館の収蔵品数は約五〇〇万点あります。これも多いように見えますが、ロンドンの自然

筑波実験植物園と研究施設・収蔵庫

史博物館の収蔵品は八〇〇〇万点、アメリカのスミソニアン自然史博物館では一億点を超えていますので、世界レベルから見れば随分小さいのです。

個人的な経験でいうと、私が最初に国立科学博物館を訪れたのは、一九六四年、小学校三年生の時でした。ちょうど東京で最初のオリンピックが開催された年でしたが、二度目の夏季オリンピック開催の年に館長として就任することになりました。杉並区高井戸に住んでいた私の世界は、西は吉祥寺・井の頭公園、東は渋谷までで、上野は外国でしたが、ある時、友人数名と連れだって、科博に大遠征をしました。高井戸から渋谷までの電車賃が一五円でしたが、科博の入場料は二〇円だったと思います。今では高校生以下が無料ですが、その当時の日本にはそこまでの余裕はなかったのでしょう。科博は今と比べれば規模の小さな博物館だったと思いますが、子どもにとっては無限に広がる展示場でした。友人たちとはぐれて迷い込んだ骨格標本がずらりと並んだ部屋や、東京中の子どもたちを怯えさせた干し首やミイラなどは鮮明な記憶として残っています。

この上野の展示場に関しては、一九九九年には地球館が部分的にオープンし、二〇〇四年に完成しました。そして二〇〇七年には上野本館（日本館）をリニューアルオープンし、更に二〇一五年には地球館の半分を改修しています。ただし、大きな改修はここまでで、二一世紀の科学の進歩や環境変動については伝え切れていない部分があり、今後の課題となっています。

自然環境保護への視点

以上、国立科学博物館の一世紀に及ぶ歴史を概観してきました。戦前の殖産興業の時代から戦後の高度成長期にかけて、科学技術の教育普及を主体としていた組織が、徐々に自然史の博物館に性格を変えていったことが分かります。これには日本学術会議の提言が大きく影響したことは確かですが、日本の社会が経済成長の追求を第一に考えていた時代から、自然環境の保護に目を向けるようになったことを反映しているのだと思います。欧米にならって国立科学博物館も産業技術の博物館と自然史の博物館に分けてしまうという考え方もあります。しかし、現在では人の活動が地球環境に大きな影響を与えることが問題となり、人新世という言葉も使われるようになっています。今後の地球を考える時に、ひとつの博物館の中に産業技術と自然史の研究部門を持つことは大きなメリットと言えるでしょう。むしろ、今日的な問題を解決するためには、欧米の博物館よりも優れた組織だとも言えます。国立科学博物館は、その特性を生かして、今後の日本や地球に関する情報を提供する施設として活動を続けていくことになります。

2　分類の専門家集団　研究者と収蔵品の話

「人類の篠田です」「動物の川田です」

現在の国立科学博物館には、動物、植物、地学、人類、理工の五つの研究部があり、六〇人ほどの研究者が働いています。理工研究部を除けば、多くは自然史に関わる研究者で、それぞれが動植物や化石、あるいは岩石や鉱物などの分類を専門としています。

標本についての外部からの電話での問い合わせに対応するために、受付の内線電話番号簿には、それぞれの研究者の専門が書かれています。現在では、想定質問集があり、ある程度は事務で返事をしていますが、かつては受付にいる職員が一般の人たちからかかってきた電話の質問の内容を聞いて、担当の研究者に回していました。結構な長電話になることも多く、大きな負担になっていました。

ずいぶん昔の話ですが、ゴカイの研究者の専門のところに「ミミズ」と書かれており、それに気づいたご本人が事務室に怒鳴り込んできたという逸話が残っています。受付の事務職員にとってはゴカイもミミズも似たようなものだったのでしょうが、そこには誤解では済まされない研究者のプライドがあるのです。ちなみに私が人類研究部に属していたときは、内線電話を受けるとき「人類の篠田です」と答えていましたが、これも考えてみれば変な言い方です。「動物の川田です」とかいう返事が返ってきて、世間的には相当におかしな会話だと思うのですが、科博ではそれに違和感はありません。博物館の研究者というと、ちょっと変わった人たちというイメージがありますが、それは概ね間違いではありません。

専門分野を選んだ動機

そんな博物館の研究者は、どんな動機で専門を選んだのでしょうか。DNAの二重らせん構造の発見者のひとりであるフランシス・クリックは、第二次世界大戦中はソナーの研究をする物理学者でしたが、戦争が終わった後、自らの進路を選ぶ際に、自分が一週間の間に話した内容を分析して、その中で最も頻繁に話題にした分野を選択したと言います。自分が無意識に考えていることを顕在化させたのです。それが生物学だったわけで、その選択がノーベル賞に輝く大発見につながりました。

一方、国立科学博物館の研究員の場合は、私が聞き取りをした限りでは現在の専門にたどり着く経緯はさまざまでした。昆虫や植物の場合は、子どもの頃からそれぞれの分野に親しんでいた人が多いようで、中には高校生の時から国立科学博物館の研究部に出入りして、新種の発見をしたという強者《つわもの》も複数います。これらの分野には、生まれついての分類学者が存在するようです。東京の近郊だと昆虫採集も植物採集も、高尾山周辺で行うことが多いようなのですが、動物と植物の研究者はお互いが中学生時代から野山で会っていたという人たちもいます。ただ、集めているものが違うので顔は知っているが、名前も何も知らなかったという話を聞いたことがあります。一方で、恐竜博士として有名な真鍋真さんなどは、大学に入ってから恐竜研究者になろうと決めたそうです。講演で、子どもたちにどうして恐竜研究者になろうとしたのですかと尋ねられて、子どもの時には興味がなかったと言うのはちょっと辛いという話を聞きました。

私も人類学という専門分野を決めるに際して、特にハッキリとした動機があったわけではありません。周りの人類学者にきいても、子どもの時から人骨が好きという人はあまりいません。ただ、学生時代に地学の収蔵庫にあった植物化石のラベルに、産地として福岡県の古墳の名前があったことに感動した記憶があります。化石よりもそれを墓に入れた人間に興味を持っていたのです。そんな自分に気がついたことが、人類学を専門にしたことに関係していることは間違いないと思っています。

私自身は国立科学博物館に勤務する前は、大学の医学部で解剖学の教員をしていました。しかし人類学の研究をするには博物館の方がいろいろと都合が良いので、二〇年ほど前に異動することにしました。文字通りの博物館行きなのですが、この言葉が示すように、世間的には博物館は古いものを集めておくところ、というイメージがあります。どうかすると、役に立たないもの、ガラクタを集めていると思われているかも知れません。確かに博物館には古い標本がたくさんあり、私たちは博物館で過去の研究者が集めた標本を使って研究をしています。そして収集は継続しており、今私たちが集めている標本や資料は未来の研究者が分析するための材料となります。つまり未来の研究者へ標本を託すために働いていると言えるのです。

こう考えると、博物館は過去と未来をつなぐ存在であることも分かります。過去の研究者が集めたものを保管し、自分たちの代で新たな標本を付け加え、それを未来の研究者に託しているのです。残念なことに今の日本は、過去や未来にお金を使うことを嫌います。日本では、いかにして今お金を稼ぐか、ということを最優先にして国の多くの政策が決定されるので、過去や未来に関わる博物館は運営に苦労することになります。日本よりも経済規模も人口も少ないイギリスで、大英自然史博物館（ロンドン自然史博物館）は三〇〇名の研究者を擁しています。研究者が多ければ収集できる標本の数も多くなり、彼らはこれまでに八〇〇〇万点を超える膨大な数の標本を収集しました。そもそも国が何にお金をかけるべきなのか、という思想の違いが、その規模の差を生んでいるのですが、私たちも少なくともアジアを代表する科学博物館としてふさわしい陣容を整えていくべきだと思います。

科博の研究者たちは何をしているのか

博物館の研究者たちが何をしているかというと、わかりやすいところでは新種を発見して記載する、あるいは標本を保存する作業ということになるでしょう。ただし、鉱物などは新種が発見されるのは年にいくつもなく、人類に至っては化石でも新種が見つかることはほとんどありません。したがって全ての研究者が新たな種の発見を目指しているわけではないのですが、その中で新種記載論文を最もたくさん書いているのは昆虫の研究者というのは衆目の一致するところです。昆虫の世界は、圧倒的に新種を発見するチャンスが大きいのです。地球上の生物種は、分かっているだけで一七五万種以上あると言われており、実際には一〇〇〇万を超えるだろうと予想されています。そして現在分かっている生物種の大部分、一〇〇万種近くが昆虫なのです。かつて神の存在を尋ねられた生物学者が、「いるとしたら神は昆虫が大好きなんだろう」と答えたという話もあるくらい、地球は昆虫に満ちあふれています。当然発見されていない種も多くいるので、新種発見のチャンスも大きくなるのです。

ちなみに国立科学博物館では、その昆虫を四名の研究者が担当しています。一人で二〇万種を超える生物を担当していることになるのですが、動物や植物の研究部ではどこも似たようなもので、たいていは数万種類の生物を担当しています。そのためホモ・サピエンスというただひとつの種を五名もの研究者で担当している人類研究部は、肩身の狭い思いをすることがあります。国立科学博物館には「人間は特別だ」というような偏見もないのです。

新種記載のもとになったタイプ標本などを除けば、集められた標本にも優劣はありません。ダイヤの原石も石炭も標本としての扱いは同じです。上野の日本館二階北翼の展示場の「日本人と生き物たち」のコーナーには、白くて大きな秋田犬の剝製が展示してあります。最近では携帯会社のコマーシャルに出ているイヌと間違われることもあるのですが、このイヌは渋谷駅で帰らぬ主人を待っていた「忠犬ハチ公」として有名な秋田犬です。展示された当初は「秋田犬」としか説明がありませんでしたが、「忠犬ハチ公をないがしろにするべきではない」というクレームがあって、現在では必要最小限の説明が付いています。展示を作った研究者としては、あくまで日本人が品種改良したイヌの例として展示をしているのであって、そのイヌの持つエピソードは、それがたとえ有名なものでも、このコーナーに関係がないと考えていたのです。説明を追加するにあたっても「そもそもイヌは主人が亡くなったことに気がつかないほど知能は低くない」という意見も出ました。忠犬などというのは、人間の勝手な思い込みで、科学の博物館の説明としてはふさわしくないというのです。それももっともな意見だと思います。ただし私はこれだけ大きなイヌが、渋谷駅前を鎖もつけずに闊歩していた時代があったという証拠にもなるので、ハチであることを明記しても良いと考えて、説明を加えることに賛成しました。ちなみにハチの斜め上には南極観測犬として有名な「ジロ」の剥製があります。こちらはカラフト犬なので、当初は研究者の中から日本人が改良したものではないというクレームが出ました。有名な標本の展示には、種としての情報以外のエピソードがあるので気を遣いますが、基本的には展示標本に優劣はありません。

ハチ公（下）とジロ（上）

将来にわたって研究を続けるための貴重な証拠

これまでの国立科学博物館の歴史の中で、収集された標本は五〇〇万点近くになりますが、そのうち上野の施設で展示に出ているものは二万点程度です。公開されているのは、国立科学博物館の持つコレクションのごく一部だけだということになります。このようなお話しをするとよく「展示にも出さないのに、なぜそんなに多くの標本が必要なんですか」という質問を受けます。実はこれらの標本の価値は、日本の自然や産業が、どのように変わってきたかを示す直接の証拠だというところにあるのです。歴史家は昔の書物を読み解いて、歴史の中で何があったかを知ろうとします。そのための資料は重要で、たとえば古文書を誰かが研究したら廃棄してもよい、ということは絶対にないでしょう。私たちの標本も同様で、将来にわたって研究を続けるための貴重な証拠として継承されているのです。

都市の工業化が進むことで、そこに棲息する昆虫であるガの一種オオシモフリエダシャクの体色が明るい色から黒っぽい色に変化する「工業暗化」という現象があります。これはもともと明るい色をしていたガの体色が、工業化による大気汚染のため、木の樹皮がススで黒く汚れたことで捕食者である鳥に目立つようになり、暗黒化したガの方が捕食されないために相対的に多くなるという現象です。環境と生物の形態の変化の関係を示す代表的な例として知られています。また最近では都市化に伴って、同じ種の昆虫が小さくなっているという研究もあります。このような研究は、長期にわたって同じ地域の標本を採集していかなければできません。新種の発見だけではなく、同じ種の標本を継続して採集していくことも重要なのです。

私たちが博物館に収集している標本の中には、日本産のトキやニホンオオカミのように、既に絶滅してしまった種も含まれています。また過去に採収された標本をもとにして、絶滅の危機にある種を見つけ出し、保全するプロジェクトも行っています。これは自然史系の博物館でしかできない重要な研究ですが、一方で研究者は、同時代を生きる生きものたちが、これ以上博物館でしか見ることのできないものにはなってほしくはない、とも思いながら研究を続けています。

世界規模の標本調査

二〇二三年に、世界二八ヶ国の国を代表する七三の自然史博物館や植物園が保有する標本の内訳が調査されました。もちろん、それぞれの博物館は自分たちがどのような標本を持っているかについては把握していますが、多くの場合、その情報は外部から知ることができなかったので、世界全体でどのような標本が保存されているかは知られていなかったのです。このようなデータは、科学者や政策決定者が、気候変動や食料安全保障、健康、パンデミックへの対応、野生生物の保護など、緊急かつ広範囲に影響を及ぼすような問題を解決するための基礎的な資料となります。自然史標本は、研究者がさまざまな研究をするための材料であり、その中には今日の地球が直面している重要な問題を解決するヒントも含まれています。

地球規模コレクションと総称されるこれらのデータは、生物学、地質学、古生物学、人類学の標本を全体として一九のタイプに分類し、陸地と海洋を地球の全体をカバーするように一六の地域に分けて、それぞれどのような標本があるのかを調べたものです。調査には標本を管理する四五〇〇人の研究者と四〇〇〇人のボランティアが参加し、その結果全体で一一億を越える標本が確認されました。内訳を分析した結果、地域としては熱帯や極地、海洋系、そして分類群としては節足動物や微生物の多様性などの分野において博物館のコレクションには大きな欠落があることが示されました。このことは将来の標本収集に関しての指針となることが期待されます。今後は、すべての博物館が将来の標本収集活動の計画をより戦略的に進めることができるでしょう。国立科学博物館でも、極限環境における生物相の調査を開始しており、その標本の充実に努めています。

調査時点で一一億ある標本のうち、インターネットで検索可能なものは全体の一六パーセントにすぎませんでした。国立科学博物館も含めて現在、情報を共有できる仕組みを整備しているところです。今のところこの調査に加わった自然史系の博物館は日本では国立科学博物館だけですが、東大や京大などの大学博物館や地域の自然史系博物館が標本のデータベースを公開していくことで、この地球規模コレクションを精緻なものにし、有効に活用していくことができるようになるはずです。

四〇億年ほど前に地球に最初の生命が生まれて以来、この星の上ではおびただしい数の生物が生まれ、そして絶滅していきました。近年では、この種の絶滅の速度が、これまでの一〇〇倍から一〇〇〇〇倍のスピードになっていると推定されており、その原因が地球の温暖化などの人類の活動にあることを多くの研究者が指摘しています。地球は、過去に五回の大量絶滅を経験しているので、現在はそれに続く六回目の絶滅の最中だと指摘する研究者もいます。

地球の歴史は、基本的には生物の進化を基準としています。生物の入れ替わりが時代の区切りとして捉えられているのです。従って大量絶滅が起こると新たな時代を定義することになります。例えば六六〇〇万年前に巨大隕石の衝突で恐竜が絶滅して中生代が終わり、哺乳類の時代である新生代が始まりました。現代はその中で、およそ一万一七〇〇年前に始まった第四紀完新世と呼ばれる時代にあたります。この頃、数万年間続いた氷河期が終わり、暖かい時代になったのです。私たちホモ・サピエンスは、その頃から世界の各地で農業を始め、文明を築きました。完新世という名称自体、完成した新しい時代という意味ですから、その後に異なる時代が来るということを想定はしていません。先にも述べましたが、最近では人類の活動が地球規模の変動を引き起こしていると して、この時代を終わりにして、新たな時代「人新世」を定義しようという動きも起こっています（コラム②参照）。このような時代の区分の変更が妥当なものなのか、それを検証するのが博物館の標本であり、活動なのです。過去を知ることは未来を考える際に重要な示唆を与えます。国立科学博物館はそのための証拠を伝えていくという役割も担っています。

3　変わらないための努力　自然教育園

白金御料地

国立科学博物館は、上野に本館、つくば市に研究施設と植物園がありますが、更に付属の自然教育園が東京都港区白金台にあります。敷地面積は約二〇万平方メートル（六万坪）、周りは都下でも有名な高級住宅地ですから、航空写真で見ると、大都市の真ん中にある緑のスポットのように見えます。次頁の写真でもわかるように、自然教育園の西側外周には首都高速道路が走っていますが、これは当初計画で園内を分断する形での整備が予定されていたものが、園側の粘り強い交渉の結果、この状態になったと言われています。この場所の歴史をさかのぼると、室町時代には豪族の屋敷で、園内にはその時の名残の土塁も保存されています。江戸時代には、水戸黄門として有名な水戸光圀の兄である高松藩主松平頼重の下屋敷でした。園内には樹齢数百年の老木が何本かあるの

自然教育園航空写真。写真下側に高速道路が見える

ですが、これらはこの時代の庭園の名残だと言われています。

明治時代になると、海軍省と陸軍省の管理下となり、火薬庫が置かれていましたが、一九一三年（大正二年）に廃止され、一九一七年（大正六年）には宮内省帝室林野局が所管するようになりました。この時から、この地は白金御料地と呼ばれるようになります。その後、一九二一年（大正一〇年）には御料地のうち一万坪が朝香宮の邸宅地として分割されています。朝香宮の当主鳩彦《やすひこ》王は、フランス留学中の一九二三年にパリ郊外で交通事故に遭い、重症を負ったため、パリで数年間の療養生活を送ることになりました。その頃ヨーロッパは工芸・建築・絵画・ファッションなど装飾様式であるアール・デコが席巻しており、鳩彦王は、この芸術様式になじむことになりました。そして帰国後の一九二九年から邸宅の建築が開始し、一九三三年（昭和八年）に、アール・デコの粋を集めた朝香宮邸が竣工したのです。

この邸宅は第二次世界大戦後に国に返納され、一九四七年から一九五〇年までは、当時の総理大臣兼外務大臣の吉田茂が公邸として使用していました。その後に西武鉄道に売却され、白金プリンス迎賓館として一九七四年まで使用されました。一九七〇年代になって西武鉄道によるホテル建設計画が持ち上がりますが、周辺住民など多くの人びとの反対運動によって計画が頓挫し、敷地は一九八一年に東京都に売却されることになりました。都はこの土地を整備して一九八三年（昭和五八年）に都立美術館の一つとして一般公開しました。このように様々な経緯を経て、白金御料地の六分の一は東京都庭園美術館として今に至っています。

一方、残りの土地は、朝香宮邸が国に返納されたのと同じ一九四七年に国有地として大蔵省の所管となりました。一九四九年（昭和二四年）には文部省に所管換えとなり「天然記念物及び史跡」に指定されて、国立自然教育園として一般に公開されました。

それが一九六二年（昭和三七年）に国立科学博物館の付属施設となったのです。その理由のひとつは、先に科学博物館の歴史を説明した章「クジラと機関車」で説明したように、日本学術会議の提言で、国立科学博物館に自然史科学研究センターの機能が付与され、自然史研究面の機能強化が図られたことがあります。また、文部省が園を直接管理運営することが望ましくないという行政管理庁からの指摘もあり、自然教育園は科博の所管となったとされています。

自然教育園は全域が天然記念物に指定されていますので、基本的には木々の伐採や土地の改良は禁止されています。一方、都立庭園美術館には、邸宅の他に芝生広場、日本庭園、西洋庭園の三つのエリアがあって、管理された庭園となっています。同じ白金御料地が、一方ではかつての東京の自然を残したエリアに、他方が庭園となっているのは興味深いことです。

かつての武蔵野の面影を残すために

西欧文化の基層には、庭園は管理するものであるという思想があります。道や噴水を

武蔵野の面影を残す自然教育園

整備し、木々は剪定され、建築物と一体化した姿となります。明らかに人の手が入ったことが分かる形の造園が行われるのです。それに対し日本では、自然のものはなるべく手を入れず、ありのままの姿に保とうとする考え方があります。遠くの山などの風景を、庭の一部であるかのように利用する借景などという造園の仕方は、その最たるものでしょう。かつての白金御料地は、その双方の思想が具現化した地でもあります。

そのため双方を訪れると、手を入れない武蔵野の原風景と、管理すればそれがどこまで整備できるのかを実感することができます。ただし、自然教育園の自然はかつての武蔵野の面影を残すことを目的としていますので、全く手を入れていないというわけではありません。むしろ管理された庭園よりも整備に手間がかかっているのです。現在の東京は地球の温暖化やヒートアイランド現象などによって、環境が大きく変わっています。ですから土地を自然に任せると、かつての面影はなくなってしまいます。自然教育園では近年おびただしい数のシュロが芽を出すようになりました。この地が科博の管理下に置かれた当初には数本しかなかったシュロは、二〇一〇年の調査では二五八五本へ増えています。この地は、放っておけばシュロが繁茂する亜熱帯の環境が出現することになるのです。最近では、東京近郊の住宅街で街路樹にシュロを植えるところもあると聞きますが、それは現在の都市環境が、変化しているためなのです。ですからかつての武蔵野の景観を維持することは非常に困難です。そのために自然教育園では、樹木や動植物の調査を定期的に行い、かつての景観を保存する努力をしています。最近の調査では直径一〇センチメートル以上の樹木が約一万本、昆虫類二一〇〇種以上、鳥類は一三〇種ほど、哺乳類一二種、両生・は虫類二〇種、魚類一三種が棲息していることが分かっています。このような調査は定期的に行っており、管理と維持だけでなく、生物相の変化についても記録を残し、保護活動を行っています。

自然教育園では日本の鷹類の代表種であるオオタカが営巣しているのですが、その子育ての様子を毎年観察し続けています。オオタカは東京では一時は数を減らしたのですが、近年ではその数を増やしており、自然教育園でも安定的に雛が巣立っている姿が観察されています。その理由として、ヒナの天敵であったカラスが都の施策もあって数を激減させていることがあるとされています。カラスは数が多いと集団でオオタカを襲うこともあるようですが、単独では逆に餌食になるので、数が減ることがオオタカの増加に有利な状況をつくっているのでしょう。都市環境の生物相は、自然環境の変化だけではなく、このように行政の施策によっても変化します。継続的な調査は、その要因を明らかにするためにも重要です。また、オオタカのつがいはひとつの巣を継続的に使っていますが、同じペアが使っているわけではなく、近年ではオスが別の個体に替わったことも分かっています。自然教育園での観察は、彼らの社会構造の解明にも重要な情報を提供しています。

ゲンジボタル復活プロジェクト

園内の環境を整備して絶滅危惧生物を復活させる試みも行っています。そのひとつの例がゲンジボタルです。自然教育園には、数は少ないですが、今なおゲンジボタルが棲息しています。このホタルはＤＮＡ分析の結果、東京の在来ホタルであることが確認されている貴重なものです。近年東京では、初夏のイベントとしてホタルの観賞ができる施設が増えてきました。ただし、これらでは東京以外の場所から採取したホタルを放しているので、本来の東京のホタルを見ることができるわけではありません。自然教育園でもゲンジボタルの棲息数は減少し、絶滅の危険性が高まっているのですが、「自然教育園ゲンジボタル復活プロジェクト」として、保全のための新水路の整備計画等を進めています。ホタルを増やすためには幼虫の餌になるカワニナを増やすことが重要なので、そのための環境整備をしているのです。ホタルは、現段階では自然教育園の立ち入り禁止地区でのみ繁殖していますが、数を増やし、一般の来園者が鑑賞することもできるようになることを目指しています。

環境を変えずに維持することは大変な手間がかかるのですが、その努力にはどのような意味があるのでしょうか。なすがままに任せてしまうというのもひとつの考え方です。しかしかつての武蔵野に暮らした人々を思うとき、彼らがどのような環境の中で生活していたのかを実感することは重要です。そのような場をひとつでも残すことも、文化を守ることにつながるのです。この施設の名称が「自然教育園」となっているのは、自然保護教育の場という意味もありますが、私はかつてを知るための教育施設であるということも示しているのだと考えています。

4　ニュートンのリンゴの木とメンデルのブドウの木　筑波実験植物園

植物多様性の保全と研究

つくば市にある国立科学博物館の実験植物園は、一九七四年（昭和四九年）から建設が開始され、一〇年後の一九八三年（昭和五八年）一〇月に完成しました。この敷地には研究部と収蔵庫も併設されていますが、園自体の面積は一四ヘクタールあり、七〇〇〇種類以上の野生植物を植栽しています。そのうち三〇〇〇種あまりは、屋外と温室で常設展示しており、一般の来園者が見学することができますが、絶滅が危惧されるような貴重な植物はバックヤードで栽培されています。港区白金台にある自然教育園は、武蔵野の自然を残すことを目的としていますが、筑波実験植物園は日本列島全体から多様な植物を収集しており、絶滅危惧種を中心とした植物多様性の保全と研究をしています。

国立科学博物館に植物園を設置する計画は一九六〇年代にさかのぼりますが、その背景には、「クジラと機関車」の章でも触れた、昭和三七年に日本学術会議が出した「自然史科学研究センター」構想があります。それまで科博の植物分類学の研究は、専門的には腊葉《さくよう》標本（乾燥標本）と呼ばれる、いわゆる「押し花」をもとに行われてきました。しかし、植物を理解しようとすると、どうしても生きた植物を対象として、植物の生活史全般の研究をすることが必要になります。そのため植物学研究の歴史の長い欧米では、自然史の博物館に植物園が併設されていたり、あるいは大学研究機関の植物園と協力関係にあるところが多いのです。

そのような事情から、高度経済成長によって日本の社会が大きく変貌したこの時期に、科博に新たな役割を付加することが決められたのです。また同時にこの時代は、公害問題などが顕在化する中で、地域から姿を消す生物も目立つようになり、自然保護に対する気運が高まっていたという事情もあります。そのために絶滅危惧植物を保存継承していく施設が求められたということも、科博に植物園を設置する追い風になったのでしょう。なお、植物園で生きたまま保管されている植物標本を、腊葉標本に対して、リビングコレクションと呼びます。私はこの名称を最初に聞いたときに、自宅のリビングで育てる観葉植物だと思っていましたが、全く異なるものを指すことを知って驚きました。

一番人気のショクダイオオコンニャク

どこの植物園もそうでしょうが、園にはそれぞれ最も人気の高い植物があります。筑波の実験植物園の場合は、その例として真っ先に挙げられるのは「ショクダイオオコンニャク（燭台大蒟蒻）」でしょう。この植物は、もともとはインドネシアのスマトラ島原産のサトイモ科の草で、国際自然保護連合が絶滅危惧種に指定する稀少生物です。「花」（厳密には花序＝花の集まり）は高さ三メートル、直径一メートルに育つものもあり、世界で最も大きな「花」をつける植物のひとつと言われています。また開花に際して、とてもくさい匂いを出すのも特徴で、それもこの植物を有名にしているひとつの理由です。

めったに花を咲かせることがないのですが、筑波実験植物園では二〇一二年以来、同じ個体が繰り返し開花しています。そして開花のニュースが流れるたびに、多くの来園者が訪れ、実験植物園は大変な賑わいになります。

ショクダイオオコンニャクの開花の様子

実験植物園で開花が続いている背後には、職員による努力があります。栽培にあたっては、東大の小石川植物園やインドネシア、ドイツなどでの栽培状況や自生地の環境に関する情報を集め、ショクダイオオコンニャクの生育に適した環境を再現したことが、連続開花の成功の鍵となっています。そして蓄積された栽培に関するノウハウが他の植物園とも共有されることで、この植物を絶滅の危機から救うことにつながっています。科博の筑波実験植物園の名称には、普通の植物園にはない「実験」という言葉が付いていますが、それはこのような活動を主にしていることを意味しています。

「知る人ぞ知る」二つの植栽

この連続開花している個体は、一九九二年にインドネシアで種子が採られました。その後、東大の小石川植物園に譲渡され、それを二〇〇六年に当館が譲り受けたものです。実は、筑波実験植物園には、これ以外にも小石川植物園から譲られた植物があります。その中にこの章のタイトルに付けたニュートンのリンゴと、メンデルのブドウの木があります。どちらも園の中央広場の植栽の中にあるのですが、その存在自体を知っている

ニュートンのリンゴの木

メンデルのブドウの木

職員も少ないほど、植物園の中でも「知る人ぞ知る」代表のような存在になっています。

実話ではないという話ですが、ニュートン（一六四三―一七二七）が、リンゴの実が木から落ちるのを見て「万有引力の法則」を発見したという逸話は有名です。そのニュートンの生家にあったリンゴの木は、接ぎ木によって一九六四年に小石川植物園に分譲されました。この木の枝はその後、日本のいくつかの施設に分譲されることになり、そのうちのひとつが筑波植物園にあるというわけです。

一方、メンデル（一八二二―一八八四）といえばエンドウマメを使った遺伝法則の発見物語が有名ですが、修道士だった彼は、修道院でさまざまな活動をしていました。そのなかのひとつがブドウの品種改良だったのですが、そのブドウの枝が、一九一四年に東大に寄贈され、日本で育てられてきたのです。メンデルの修道院はチェコのブルノにありました。チェコスロバキアは第二次大戦後に共産圏の国となり、当時はソビエトの科学が主導的立場にあったため、植物遺伝学の分野では、獲得形質の遺伝を主張したルイセンコが大きな力を持っていました。そのためメンデルの遺伝学は軽んじられ、混乱の中でそのブドウの木は失われてしまったのです。そこで今世紀になって、東大で育てていたブドウの木から枝を送り返して、現在ではブルノのメンデル農林大学の植物園で育てられているということです。科博の実験植物園のものも東大から分けてもらったものになります。

標本を展示するという原則

標本には、その由来によって本来の属性とは異なる価値を持つものがあります。リンゴの木は物理学の、ブドウの木は生物学の象徴ともいうべき存在ですから、東大植物園が持つこの二つの樹木は、日本中のさまざまな学校や植物園などから求められて、今は日本の各地で見ることができます。根付いた場所で人びとにニュートンやメンデルの偉業を思い出すアイコンとなっているのです。いわば彼らの身代わりと言っても良いでしょう。科博での扱いはちょっと冷たい気もするのですが、それは博物館の活動が何を目的にしているのか、という問題とも関わっています。

リンゴもブドウも科博では標本として扱われているので、特段目立つところに展示されているわけではありません。他の植栽と同じような手入れがされています。これに対し、紹介したショクダイオオコンニャクは特別な注意が払われています。このことは、博物館の植物園が何に価値を置いているのかということをよく示しています。

先にも紹介しましたが、同じような例は、上野の日本館に展示されている「忠犬ハチ公」と南極観測犬の「ジロ」にも言えるでしょう。この二匹のイヌは、映画にもなり、世界的にも名を知られた、いわば日本を代表するイヌと言っても良いでしょう。実はこのイヌの展示されているフロアは、私も制作に関わりました。博物館に来てあまり年月の経っていない頃だったので、個性の強い研究者同士の会議には苦労も多かったのですが、研究者の標本に対する考え方を知るという意味で、大変勉強になりました。そこでは、ジロはカラフト犬なので「日本人が育んだもの」として展示することの是非に関する議論はありましたが、ハチを忠犬として展示するか、日本人が品種改良した秋田犬の例として展示するかという議論はありませんでした。特に常設の展示では、あくまで標本を展示するという原則を貫かないと、博物館が単なる見世物小屋になってしまう可能性もあります。博物館に研究者がいるということの意味は、そこにもあるのでしょう。

5　文化財と自然史財

法律が定める博物館とは

国立科学博物館を含めて、日本には国立と名の付く博物館がいくつかあるのですが、実は組織の形がそれぞれに異なっています。二〇二〇年に誕生した国立アイヌ民族博物館を除いては、いずれも国立と名乗ってはいるものの、国から独立した法人が運営しています。このうち国立歴史民俗博物館と国立民族学博物館は、大学共同利用機関の法人として文部科学省が所管しています。そのためこれらの博物館に所属する研究者は、大学と同じく教授や准教授といった名称で呼ばれています。この二つは大学研究機関のひとつの形態と考えて良いでしょう。大学院生の教育も行っています。

これに対し、東京国立博物館、京都国立博物館、奈良国立博物館、九州国立博物館は共に国立文化財機構という独立行政法人を構成し、国立科学博物館は単独の独立行政法人として、いずれも文化庁が管轄しています。国立科学博物館や文化財機構に属する博物館には、教授や准教授といった名前でよばれる研究者はいません。国立科学博物館の場合は、研究者の職階にグループ長とか研究主幹、研究員という名称が付いています。外部からはあまり聞き慣れない名称なので、いったいだれが偉いのか分からないという指摘はあるのですが、研究者はそれぞれが独立していて、あまり上下関係を意識していませんから、内部的には特段の不都合はありません。ですから時々、国立科学博物館の教授などという記載を見ることもあるのですが、これは間違いです。また以下に述べる理由により、国立科学博物館には学芸員という職種もありません。学芸員の資格を持つ研究者はいますが、私も含めて多くの研究者はその資格を持っていません。国立科学博物館の学芸員という名称も存在しないのです。

日本にはおよそ五七〇〇の博物館があると言われています。このような不確かな言い方しかできないのは、博物館が新たに生まれたり、閉館になったりするという事情もありますが、日本にある全ての博物館のなかで、「博物館法」という法律に定められた登録博物館が極端に少なく、この法律に規定された博物館だけを正式な博物館と言うのは、現実を表していないという事情があるのです。国が全ての博物館を法律の下に管理・把握できていないのです。なお、五七〇〇館のうち、三一〇〇館ほどの博物館は地方公共団体が管理しています。その中の多くも、博物館法に定める博物館ではありません。たとえば科学系博物館の団体である全国科学博物館協議会では、二一六の加盟館のうち登録博物館は八一館にとどまっています。動物園や水族館では、一五一の施設のうち法で定められた登録博物館は一一のみで、日本植物園協会に所属する植物園に至っては一〇三園の中に登録施設はありません。自然史に関わる博物館機能を持つ組織では、この法律が適用される館の方がはるかに少ないのが現状です。

これは従来の博物館法の対象となる博物館の設置者が、地方公共団体と一般社団・財団法人等に限定されていて、国や独法、大学、株式会社等が設立した博物館は登録の対象となっていなかったことに原因がありました。この法律が施行された一九五二年当時には、さまざまな設置者が博物館を作るとは想定されていなかったのです。そこで二〇二三年から法律が変更されて、設置者の要件が緩められることになりました。多くの博物館を登録施設にして、法律のもとに管理しようというわけです。

意外に思われるかも知れませんが、国立科学博物館を含めて、国立と名の付く博物館は、従前の登録博物館ではなく、「博物館相当施設」とされています。今回の法改正でも対象から外れて、今後も博物館相当施設として扱われることになっています。設置に関する独立の法律、国立科学博物館の場合は「独立行政法人国立科学館法」が存在するというのが、その理由です。同じ博物館を異なる法律で縛ることはできないということですが、国立博物館がこの法律のもとにないという現実は少し奇妙に感じます。博物館法に定められた博物館には学芸員が必要ですが、先にお話ししたように国立科学博物館に学芸員がいないのは、そのためなのです。

文化財と自然史標本

博物館法の改正は大きな変革ですが、国立科学博物館にとって更に大きな変化は、二〇一八年の文部科学省設置法改正です。これによって、それまで文部科学省が所管していた一部の博物館に関する事務を、文化庁が一括して所管することになったのです。この「一部の博物館」に国立科学博物館が入っていました。それまで文部科学省が所管していた科博は生涯教育のための博物館とされて、上部組織が文化庁所管へと変更されました。博物館の持つ使命や機能は設置法によって定められており、科博活動も表面上はこれまでと変わることはありません。しかし所管が替わるということで、後々様々な活動に影響が出ることが予想されます。他の文化財機構に属する国立博物館と比較されることになるのですが、はたして長期的に見た場合、文化財を収集・保管・展示している博物館と同じように扱われるのか、そこには解決しなければならない問題があるように思えます。

文化というのは多様な概念で、自然科学もその中に含まれることは間違いありません。ですから多種多様な博物館を文化庁のもとに一元化して管理することもありえるとは思いますが、当然ながら科学・技術には文化芸術とは異なる部分も存在します。最も基本的なところで言えば、国立科学博物館は文化財を収集・保管・研究する機関ではありません。集めている多くの標本は自然史標本で文化財とは性質が異なっているのです。

文化財というのはよく聞く言葉で、文化財保護法という法律があることからもわかるように、国家として保護していくべきものだというコンセンサスがあります。文化財保護法では文化財として扱うものとして「有形文化財」「無形文化財」「民俗文化財」「記念物」「文化的景観」「伝統的建造物群」の六分野が定義されています。この中には、動物、植物及び地質鉱物で、我が国にとって学術上価値の高いものが「記念物」として扱われることがあります。「天然記念物」に指定されている動物」などという言葉を聞かれたことがあると思います。貴重な生物なので保護していきましょう、ということです。しかし、自然史の博物館が収集している多くの標本は、一般的にはそれらには該当しません。「学術上の価値が高い」という部分の認識に違いがあるのです。文化財保護法の観点から見れば、国立科学博物館が収集しているものの大部分は価値を持たないのです。

私が専門としている人類学では、人骨は土器、石器などの考古資料と共に、特に文字のない社会の成立や生活を知るための貴重な手掛かりとなります。そのため日本人の起源を研究する学問分野でも、明治以来多くの研究者によって各時代・地域の人骨標本の収集が続けられてきました。その結果、全国規模では数万体、国立科学博物館だけでも一万体を超える人骨標本が収集されています。人骨は遺跡から出土することから文化財としての側面を持ちます。そのため、場合によっては文化財に指定されていることもあるのですが、それはごく稀です。貝製腕輪を装着した人骨では、貝輪だけが文化財となり、人骨には何の指定もないという場合もあります。後世の人々に、自身の持ち物だけが貴重品と見なされ、その身体は何の法的な保護を受けない、と扱われていることを知ったらご本人はあまり面白くはないと思うのですが、そのような感情は現行の法律では顧みられることはありません。極端な例ですが、傷が付けられた人骨は、人による操作が加わっているので文化財と見なされるが、傷のない人骨はその対象にはならない、という解釈もあるようです。

県立の博物館の場合は、自然史標本は県の財産とみなされ、机やボールペンと同じように物品として財務規則に縛られるそうです。そのため、新種を規定するために最も重要なタイプ標本が、商品としての価値がないという理由で財務規則上は消耗品に区分される一方で、普通に売っている動物の剥製が、購入価格一〇〇万円以上というだけの理由で県の重要物品に指定されるということもあるそうです。博物館が地震などの災害に遭遇したときに真っ先に保護すべきはタイプ標本ですが、行政上は商品価値の高い標本が優先されることになるのでしょう。研究者としては全くナンセンスなことが常識となってしまいます。このような収集標本に対する認識のズレを修正することが、文化財を保管する博物館と自然史系の博物館を平等に扱うために必要になるのだと思います。

「自然史財」という概念

それではこのような不合理な状況を正して、標本が後世へと伝えられていくようにするにはどうしたらよいのでしょう。そのためには自然史標本を文化財と同じような扱いにすることが必要です。文化財に対して「自然史財」という概念を確立させることが重要です。自然史財の定義は難しいのですが、研究者からは「自然を記録し、後世に伝えるための科学的・客観的な証拠となる標本」としてはどうかという提案があります。双方の性格の違いとしては、文化財が保護すべき対象であるのに対し、自然史財は研究用の標本としての性格が強く、積極的に公開と利用が行われるべきものである、という点が指摘できます。これらの違いを認めた上で、文化財と自然史財を同格で取り扱ってはじめて、文化財を集める博物館と自然史系の博物館を同列に並べることができるでしょう。

最近では文化財も保護だけではなく、活用の道を探るという動きが顕著になっていま す。自然史財に関して言えば、福井県にある恐竜博物館では恐竜の標本という自然史財が、そのまま観光に役立っています。自然史財は本来活用を目的として収集されているわけですから、それがうまくマッチングした例だと言えます。どうしても保護が優先する文化財よりも、自然史財の方が活用は容易です。ただし、大多数の自然史標本はあくまで学問へ資することが目的であって、観光や町作りの原資とすることを目的としたものではありません。このあたりも自然史財を文化財並みに扱う場合に問題にはなるでしょう。

更に自然史の学問が持つ一般的な性質として、これまでに行われた研究結果も、方法の進歩やデータの追加によって結論が変わっていくということがあります。そのため自然史標本は常に研究の遂行を可能にする形で保管されなければなりません。人骨を使った分野に関して言えば、最初は骨の形を見て研究をしていましたが、二〇世紀の終わり頃からはミトコンドリアＤＮＡの解析が進められるようになりました。最近ではこれまで夢としか考えられなかった古代人のゲノム解析も可能になり、この分野でスバンテ・ペーボ博士がノーベル賞を受賞したことは先述のとおりです。これもネアンデルタール人骨を新たな分析方法を用いて解析することによって得られた成果で、自然史標本の性格をよく表しています。自然史財は、長期的には単に保管しておくだけでは意味がないのです。研究をすることで、その価値が認められることになります。

展示の更新スピード

科学系博物館と他の博物館・美術館では、展示に関しても違いがあります。科学の学説は常に更新されていくものですし、そのスピードは科学の発展に伴ってより加速しています。従来であれば数十年の単位で変わった研究手法や学説も、今では一〇年単位で更新されているのが現状です。したがって自然史や科学技術の博物館では、展示の更新を頻繁に繰り返す必要がありますし、自らが研究活動を行っていくことも重要です。常に知識をアップデートしていく努力を続けなければなりません。展示の内容や方法にしても、数十年も経てば今の姿ではなくなっているはずです。それに対し文化財や絵画・

彫刻の展示の方法や説明は変わることがあっても、そのスピードは緩やかです。一〇〇年前でも一〇〇年後でも、美術館はその展示方法を大きく変えることはないでしょう。このような科学系・自然史系の博物館が持つ特徴も、文化財の保管を主たる目的としてきた博物館と大きく異なる点です。

文化財の中には人が自然との関わりの中で生み出してきたものも数多くあります。自然環境もまた、人の活動によって改変され、景観やそこに棲息する生物の種類、形態などが変化してきました。人の文化的な活動と自然史には切り離すことのできない関係があるのです。例えば、文化財として指定されている建築物に、絶滅危惧種の植物が棲息していることがあります。この場合、どちらか一方の保護のみを行う事は適切ではありません。実際にこのような例がどのような文化施設に見られるのかを明らかにしておくこと、両者の関係を明確化しておくことは、今後の保護活動にも重要な示唆を与えるでしょう。

このような事情から、博物館の研究活動という部分では、両者は協働する余地がありそうです。国立科学博物館では自然史と文化の相互関係を解明し、両者の保護と活用を推進する基盤となる研究を進めることで、文化財と自然史財の関係を捉え直す作業に着手しています。こういった研究プロジェクトを、文化庁や他の文化財を収集する博物館と一緒に行っていくことができれば、双方の垣根は更に低いものになると考えています。

〈コラム②〉　人新世という時代

新しい地質年代

人新世という言葉を聞く機会が多くなりました。もともとは英語のanthropocene の直訳で、anthro- の部分はギリシャ語の人類を意味し、-cene は新しいという意味を持つ造語です。日本語では「じんしんせい」と読むことが多いですが「ひとしんせい」と発音する人もいて混乱しています。カタカナ表記でも「アンソロポセン」とか「アンソロポシーン」と呼ばれます。これは、まだ一般用語として定着していない証拠なのでしょう。日本では近年注目されるようになった人新世ですが、最初に提唱されたのは二〇〇〇年のことで、まさに二一世紀に登場した概念と言えます。

人という言葉が入っていますから人類学の用語のように思われますが、もともとは地質学の用語です。提唱したのは大気化学学者で、オゾンホールの研究の業績で一九九五年のノーベル化学賞を受賞したオランダ人のパウル・クルッツェンです。二〇〇〇年に開催された「地球圏・生物圏国際協同研究計画（ＩＧＢＰ）」の会議の中でクルッツェンが、「我々は完新世という言葉を使っているが、もはや『人新世』に入っているのではないか」と発言したことで、この言葉が広く知られるようになりました。ちなみに「完新世」はいまから一万一七〇〇年前に始まり現在まで続いている時代区分です。完全に新しい時代という意味で、地質学者も人類学者も、この時まではその先の地質年代を考えてはいませんでした。

人新世は、人類の活動が地球に大きな影響を及ぼすようになっているので、新たな地質時代を定義する必要がある、という認識から提唱されました。ただし、その始まりをどこにするのか、という点には議論があります。この概念を地質学だけに限定すれば、地球規模での人類の活動を確実に証明できる時点を開始期とすべきですが、人新世は人類活動全体を見直すという視点から、地質学だけではなく人文社会科学の分野でも言及されるようになったことで議論が複雑になりました。実際、クルッツェン自身も、地質年代を見直すこと自体にはそれほど意義があるわけではないと述べています。人類の活動が地球にいかなる影響を及ぼしているかを自覚してもらうため、そして最悪の事態を避けるにはどうすればよいかを考えてもらうために提唱したと言っています。このあたりの事情が「正統的」な地質学者には受け入れがたいところがあり、地質学の専門家には当初からあまり評判の良くないものでした。しかし、二〇二三年の七月には国際地質科学連合（ＩＵＧＳ）の国際層序委員会から、人新世の標準地質断面（セクション）をカナダのトロント郊外にあるクロフォード湖にするという勧告がなされました。いよいよ人新世は用語として正式に認められるところまできたのです。

人新世は、最初は大気中の温室効果ガス、とりわけ二酸化炭素とメタンの濃度上昇が開始したイギリス産業革命後の一八世紀後半の人間活動の影響と関連付けられました。人類学の立場からは、人間が自然の恵みにのみ頼っていた狩猟採集社会から、環境に働きかけて食料を得るようになった一万年ほど前の農業の開始期をそのスタートと考えるという解釈も成り立ちます。しかし、研究が進んでくると、一九五〇年以降に地球環境が大きく変わったことが明らかになってきました。世界の人口はこの間に二〇億人から八〇億人にまで増加しました。短期間に四倍となったのです。人間活動もそれに比例して増加し、およそ四倍に増えています。これが大気二酸化炭素濃度の上昇と、表面気温の顕著な上昇をもたらし、地球上のあらゆる場所に人類が生み出した様々な化学物質を拡散させることになって、その痕跡を認めることができるようになったのです。

この人間活動の急激な拡大は「グレートアクセラレーション」と呼ばれ、人類の活動が新たな段階に入ったことを示しています。そのため、一九五〇年が一般に人新世の始まりとされています。クロフォード湖が選ばれたのも、一九五〇年代の地層がはっきりと認められたことが決め手になりました。しかし個人的にはアメリカ・ニューメキシコ州で人類最初の核実験が行われた一九四五年七月一六日にするのが適当であると思います。同年の広島、長崎への原爆投下と、それに続く核実験は地層に地球規模で核物質の明確な痕跡を残したという意味で、人新世の始まりを告げるものとすべきでしょう。それを避けたのが核保有国に対する忖度だとしたら残念です。

今までのやり方が通用する最後の世代

このような経緯から、人新世という言葉は、人類活動が悲劇的な結末を迎えないようにするための提案という側面を持ちます。その根拠を示すものとして、地球システムを研究するスウェーデンの環境学者ヨハン・ロックストロームとオーストラリアの化学者ウィル・ステフェンが二〇〇九年に発表した「プラネタリーバウンダリー（地球の限界）」に関する研究があります。地球をシステムとして捉えると、ある範囲の中では、恒常性を維持するフィードバックが働いていますが、そこには引き返しの不能なポイントがあり、それを超えるとシステムは予想がつかない振舞いをするという仮説です。彼らは以下の九つの項目、（一）気候変動、（二）大気エアロゾルの負荷、（三）成層圏オゾンの破壊、（四）海洋酸性化、（五）淡水変化、（六）土地利用変化、（七）生物圏の一体性、（八）窒素・リンの生物地球化学的循環、（九）新規化学物質について、具体的な限界値を提示しました。残念なことに、いくつかの数値で既に閾値を超えています。気候変動に関しては、大気中の二酸化炭素濃度について、限界値の下限が三五〇ｐｐｍ、限界値の上限が四五〇ｐｐｍに設定されていますが、現在の世界の二酸化炭素濃度は、四〇〇ｐｐｍを超えており、世界全体でさらなる増大を食い止めなければならない状態にあることが分かります。

以上をまとめると、概ね一九五〇年代に始まる世界人口の拡大とそれに伴う人間活動の増大によって、資源の消費と廃棄物の増加が進み、地球規模の痕跡を残すことになりました。そして同時に環境が後戻りできない形で変化しているということになります。この時代を新たに定義したのが人新世というわけです。これを資本主義の帰結とみて、社会全体の変革が必要だという意見もあります。私たちは地球の資源を消費しながら生活を営んできたわけですが、今までのやり方が通用する最後の世代なのでしょう。それをどうするかということを真剣に考えなければならない時代になった、ということです。

なお、プラネタリーバウンダリーに関しては、二〇一三年に科博で開催した特別展「グレートジャーニー　人類の旅」の中で紹介しました。この展示では更に、これらの環境指標などとは比較にならないほど地球を滅亡に導く可能性があるものとして、世界規模の戦争を挙げました。その時点では大きな戦争が起こることはあまり現実的ではないと思っていましたが、わずか一〇年でそれが現実となるかも知れない世界に私たちは暮らすことになりました。

人新世のOSを構築するために

人類史から人新世を見るとどのようなことが言えるのかを考えてみましょう。人間はこれまで、移動によって問題を解決してきました。環境が悪くなれば動いていく。最初は、アフリカから出て誰もいないところに広がっていき、地球上にくまなく広がった後は、集団同士の衝突が起きて移動する。農業を始めると土地に縛られるので、その解決法も荒っぽいものに変わっていきました。大航海時代以降は移動のスケールも大きくなり、現在でも移民や難民という形で移動によって問題を解決しようとしています。しかしグレートアクセラレーションは、それを不可能にしつつあります。人新世は、人類史で見ると初めて、新たな行き先がなくなった時代ということになります。この先に行くとしたら宇宙しかないというところまできて、ものを考えなければいけなくなった初めての時代なのです。

人新世を定義した後に完新世を見直すと、この時代までは人間が自分たちの活動で自分たちの首を絞めていると意識するようなことはなかったのだと総括することになるでしょう。言葉ができて初めて私たちは情況を認識できるようになります。その言葉を地質学者が造ったというのは興味深いですが、逆に言うと人間を対象に研究をしていた人類学者が、そこに時代の区分を作ろうとはしなかったということも考えるべき問題です。人類学者は、ホモ・サピエンスという種が変わったという意識がありませんでした。ホモ・サピエンスは絶滅していませんから、この時代に区切りを付ける必要はないと考えているわけです。しかし、それは本当なのでしょうか。

一九五〇年代は核の時代の始まりだっただけではなく、DNAの二重らせん構造が解明され、分子生物学がスタートした時代です。その帰結として、現代ではゲノム編集技術の開発によって、ヒトＤＮＡの改変も可能になっています。実際に二〇一八年には中国の研究者、賀建奎（フー・ジェンクイ）が、この技術を使って遺伝子操作ベビーを誕生させています。ヒトの生殖系列の細胞の人為的な改造は重大な倫理的問題を含んでおり、現状では厳しく制限がかけられています。また技術的にも未熟な部分があることから、すぐに親が望む外見や体力・知力等を持たせた子どもである「デザイナーベビー」が誕生することはないと思います。しかし、すでに他の生物種では、形質改良のためのゲノム編集が行われており、将来的にヒト遺伝病の治療にこの技術が使われるようになれば、その誕生は時間の問題だと考えるべきでしょう。

人新世はヒトが自身のゲノムを自由に改変させて、これまでにない人類を誕生させた時代と定義されるようになるかも知れません。地球温暖化による環境の変化に対応できる遺伝的な改変、などということも考える時代が来るでしょう。その時ホモ・サピエンスという種は絶滅することになります。

ハードウェアとしてのホモ・サピエンスは、今から二〇～三〇万年前にアフリカで完成しました。脳容積も今と同じですし、生物としての能力、例えば筋力であるとかは、むしろ昔のほうが優れていたと考える人も多いのです。私たちはその頃にできあがったハードウェアを使いながら、社会を作り生活を営んできました。最初のホモ・サピエンスが使っていたソフトウェア（OS）は、少人数のグループが生存していくために適したものだったはずです。しかし集団が大きくなると、同じソフトでは維持できなくなり、例えば文字や道徳、神話や宗教、音楽など、いろいろな文化的要素を加えていきました。そうやって大きくなる集団をマネジメントしたのですが、一方で、そのソフトは敵と味方に分けて集団を安定させる仕様になっていました。今はそれが行き詰まった状況なのでしょう。小手先のバージョンアップでは現状に対応できなくなっています。

ハードウェアすら改変できるようになったときに、OSがそのままということは考えられません。人新世を生きるためのシステムを構築する必要があります。個人的には、それは可能だと思っていますが、これまでの経緯から社会の有り様を根本的に変えられない。それが今、私たちに突きつけられた最大の問題なのでしょう。

人新世は地球の危機、環境の危機、人類生存の危機の時代を表す用語です。どうしても暗い話になるわけですが、暗い話の解決は明るい未来につながっているはずです。それが描けるかどうかは、科学がその役割を果たすことができるかにかかっています。更に、人新世のＯＳを構築するためには、トランスディシプリナリー（超学際的）な取り組みが必要になるはずです。文理融合といった学際的な取り組みを超えて、更に宗教や政治も巻き込んだ検討が求められています。その中で人類学が蓄積してきた知見をどのように生かすことができるのか、それがこれからの人類学に突きつけられた課題です。

PART3

科博の実践

——「リアル」の価値を問い直す

2023年8月7日、
クラウドファンディング開始時の記者会見

1　展覧会を作る

常設展、特別展、企画展

国立科学博物館の展示には、大きく分けて三つの種類があります。ひとつは「日本館」と「地球館」からなる常設展示で、言うまでもなくこれが国立科学博物館の展示の中核をなすものです。日本館では、日本列島の自然と生い立ち、そこに暮らす生き物たちの進化や日本人の形成過程、そして私たちと自然の関わりの歴史を展示しています。地球館の展示では、地球の多様な生き物がお互いに関係しながら生きている姿や、地球環境の変動の中で生命が誕生と絶滅を繰り返しながら進化した道のり、人類の知恵の歴史を学ぶことができます。床面積は一万二〇〇〇平方メートル、総展示数は、数え方にもよるのですが二万点を超えています。

大がかりな展示のため、常設展の展示替えは順次行われる予定で、一〇年程度の間隔で計画されます。ちなみに最後に改修したのは二〇一五年ですが、その後は日本の経済情況の悪化もあり、現状では大規模な改修計画が立てられていません。地球館が完成したのが二〇〇四年のことですから、その時に展示に携わった研究者の大部分は引退しており、現役の研究者や事務職員には常設展示を作成したメンバーはほとんど残っていません。

伊勢神宮では式年遷宮という二〇年ごとの改修がありますが、これはこの程度の期間で改修しなければ建物が傷むという理由の他に、ノウハウを伝えるための工夫でもあると聞いたことがあります。二〇年の間隔があれば、職人たちが生涯で二度は遷宮に携わることができます。一度目は最初に改修する初心者として、二度目はベテランとして後輩に教える立場として関わることになります。このシステムで遷宮のノウハウを継承しているのです。同じような理由から国立科学博物館でも新たな改修計画の実施が急務になっています。

私はかろうじて二〇〇四年の地球館建設の二期工事と、二〇〇七年に行われた日本館の大規模改修工事を経験しており、展示テーマの決定から計画のスケジューリング、業者や展示標本の選定など、さまざまな場面で何をすべきなのかを学びました。当時の館長に怒られた思い出もあります。展示が完成した後に音声ガイドを作ることになり、展示を作った研究者が、自分のパートを二分程度で紹介するようにというリクエストがあり収録をしました。しかし、これは研究者の気質を理解していない無謀な試みでした。当然ながら誰も二分で話をまとめるわけもなく、好きに話をしたので、音声ガイドは全体が一八時間にも及ぶ長大なものになってしまいました。そもそも八時間しか開館していない博物館で提供する音声ガイドが、倍以上の時間がかかるというのはいかがなものかということでお叱りを受けたのです。ただし、国立科学博物館の常設展示をまともに見ようとすると一日では到底終わりませんから、何日かかけて見ていただくためには良いガイドになっていると思います。そもそも八時間以内にまとまるガイドを作ること自体が無謀で、そこで事情を説明すべきでした。

この常設展とは別にテンポラリーな展覧会として、特別展と企画展があります。企画展は日本館一階北翼にある広さ三〇〇平方メートルの企画展室を使って行われるもので、閲覧のための特別な料金を取ることはしていません。国立科学博物館のひとりの研究者が、自分の研究成果を発表することも多く、定年で辞める研究者が、自身の研究生活の集大成として開催することもあります。二〇一三年に開催された「日本のアザミの秘密」もそんな展覧会のひとつで、アザミ研究一筋の植物学者の手によるものでした。日本はアザミの種類の多い地域なのだそうで、日本産アザミは一五〇種以上もあるとのことですが、素人目にはほとんど区別の付かないアザミの写真が企画展会場にズラリと並び、それぞれについたパネルでうんちくが語られている展示は壮観の一語でした。

この企画展に関しては、当時文科省から出向してきていた役員が、その難解さに激怒したという話が残っているのですが、私は分類学者の矜持を見たように感じました。博物館の展示が全て誰にでも分かりやすいものである必要はありません。そもそも世の中は、まだ分かっていないことだらけなのですから、博物館で何でもわかりやすく説明してしまったら、それは科学を誤って理解することにつながります。実は、国立科学博物館のような教育を目的とした博物館の展示で難しいのは「分かっていないことがある」ということを伝えることなのです。この企画展はそのことを意識したわけではなかったとは思いますが、学問の奥の深さを垣間見せてくれるものだったと思います。しかし、

企画展「日本のアザミの秘密」ポスター

たしかに一般の人が見ると、この展示はアザミの迷宮に入り込んだような目眩を起こしても不思議ではないものであったことは事実です。

その道の専門家が評価する展覧会と、一般来館者が見て面白いと感じる展覧会とでは内容が異なることもよくありますが、企画展はどちらかというと、一般の評判をそれほど気にすることなく、研究者の自由な発想で作ることができる展覧会です。定年が近い研究者は最後の発表を行い、若手の研究者は最初に企画展を作って、後に紹介する特別展へとステップアップするのが、国立科学博物館の研究者のキャリアパスです。ただし分野の特殊性や能力と意欲の問題もあり、全ての研究者が企画展を作るわけではありません。展示作成には向き不向きがあって、研究業績が立派でもごく簡単な展示を作ることができない研究者もいます。そもそも展示作成に参加するかはそれぞれの研究者の意思に任されていますので、みずから手を挙げないと展示に関わることはありません。一昔前は「私は展示を作らない」と公言して、実際に何もしない研究者もいました。

「素人」の意見に耳を傾けられるか

二〇世紀の末頃までは、国立科学博物館も今のような頻度では企画展や特別展を開催していなかったので、研究者が展示に背を向けて過ごすことも可能でした。趣味がそのまま仕事になったような人も多く、自分の好きなことだけをやるという指向が強い人も多かったのです。面倒な展示を作るよりは、研究だけをしていたいということなのですが、このような人に限って研究業績も今ひとつということもありました。しかしその頃まで博物館には、それを許容する「余裕」もあったのです。

二一世紀になると、地球館ができて会場が整備されたこともあって、特別展は年三回、企画展はそれ以上の回数で開催することになりました。近年では、それが特定の研究者に過大な負担をかける原因となり、新たな問題となっています。ただし、最近採用されている研究者は、初めから展覧会を作ることを厭わず、積極的に参加してくれるようになっているように思えます。これは二〇年以上にわたって各種の展覧会を開催してきたことで、科博の研究者は、展覧会を作るものだという常識が定着してきたためなのでしょう。時代と共に国立科学博物館の研究者の意識も変わってきています。

私は研究者としての二〇年間の在職中に、九つの企画展を監修しました。そのうち専門の人類学に関係するのは三つ、あとは実験的な要素の強いもので、その多くは他の研究機関や学会とのコラボレーションで制作したものです。昨今では、多くの研究機関で研究成果の一般への還元が強く意識されるようになっています。国立科学博物館の企画展は、二ヶ月程度の開催で一〇万人以上の来場者が見込めますので、うまくコラボレーションができれば、研究機関の宣伝になりますし、また博物館の側も最新の科学情報を多くの来館者に提供できるというメリットがあります。ただし、このようなコラボ企画展を作る際には博物館の側に対応者が必要です。外部の機関にも例外的にすぐにでも展示を作ることのできる研究者はいるのですが、一般には自身の研究内容や、新たな科学的な知見を一般向けの展示として表現することはかなり難しい作業になります。

研究者は研究者仲間を対象に論文を書き、口頭で学会発表をします。つまり対象が自分と同じ能力と知識を持っている人を想定しているわけですが、子どもから老人まで多様な来館者を対象とする展覧会はそこが大きく違います。また伝えたいことは展示標本を介さなければなりませんが、研究者にはそのノウハウがないのです。そのためほうっておくと写真やグラフと難解な文章で構成されたパネルが延々と連なる展示ができあがります。おまけに標本は写真の代替物としての役割しか持たず、展示標本として意味のないものになってしまいがちです。これでは多くの来館者にとって魅力的な展覧会とはなりません。そこを仲介するのが博物館の対応者の役割になります。

国立科学博物館の研究者は、伝えたいことを整理し、来館者との間にどのような標本を置いて、どのような説明を加えれば、意図することが伝わるのかということを、企画展を作っていく中で学んでいます。また、その効果は実際の展示会場で来館者の反応を見ることで確認することができますから、次の展示に反映させることも可能です。企画展は展示作成のトレーニングの場でもあるのです。

更に展示には事務系の職員も関わります。彼らの目線は一般来館者と同じ高さにありますから、研究者が素直にアドバイスを受け入れることができれば、良い展示が完成します。あえてこう書いたのは、プライドの高い研究者にとって最も難しいのが、このような「素人」の意見に耳を傾けることだからです。さすがに国立科学博物館でも、自分の専門とは全く異なる領域の研究者とコラボレーションして、企画展を作ることのできるメンバーはそれほど多いわけではありません。しかし現状を見ていると、若い研究者の中からは将来的にそれもできる展示のプロが育ってくれるだろうと思っています。

日本で独自進化した特別展

マスコミなどとの共催で行われる特別展は、国立科学博物館の展示の華ともいうべき存在です。企画展は準備に一年程度の期間を要しますが、特別展は概ね三年以上の準備期間が必要な大がかりなものになります。特別の入場料がかかりますが、人気のある特別展の場合は五〇万人を越える来館者があります。またテレビで特番が組まれたり、広報や宣伝など周知にも大きなお金がかけられます。そのため国立科学博物館の展覧会といえば特別展のことを思い浮かべる方も多いでしょう。これが博物館の本来の姿だと思われるかも知れません。

しかし意外なことに、マスコミと協賛する形の特別展は欧米では珍しいものになります。特別展のために共催者と一緒に標本の借用に出かけると、先方の博物館の担当者に驚かれることがあります。欧米の博物館の特別展は、別料金を取るにしても自前の資金で作成費用をまかなうことが普通なのです。また開催期間も半年以上とるものが多く、年に三回も特別展を開催する館はありません。なお、最近大規模な博物館を各地に作っている中国では、国家が資金を提供して特別展を開催しているとも聞きます。これも他では見ることのできない新しい形の特別展です。

日本でこのような特別展が定着したのには、それなりの歴史的な経緯があるようなのですが、マスコミが入ることによって博物館では用意できない額の資金をつぎ込むことができますし、一般への周知も容易になります。それなりの収益も見込まれ、博物館と共催者の双方に大きなメリットをもたらします。また最近では、音声ガイドに著名な俳優や声優を使ったり、グッズに関しても工夫を凝らしたものが作られています。特別展は日本で独自の進化を遂げて、世界に類のない展覧会の形式になっているのです。

特別展の作り方

私は、国立科学博物館でこれまでに二〇ほどの特別展の制作に関わってきました。今世紀になって行った特別展が六〇ほどですので、全体の三分の一程度の特別展を作ったことになります。多くは企画段階から関与したので、特別展を作る際のフォーマットについてもある程度は理解できました。その経験を少しお話ししましょう。

特別展では、テーマや概要を決めた後に細部を詰めていきます。テーマは研究者から提案されることもありますが、共催者から提示されることもあります。例えば東京オリンピックの年には、海外からの観光客も多数見込まれるということで「和食」がテーマとして示されました。これは国からの要請もあり引き受けることにしたのですが、そもそも科学の博物館で和食をテーマに展覧会をするとしたら、何を展示して何を伝えるのかというところから決めていかなければならず、大変な作業になりました。この「テーマをどのように展覧会に仕上げていくか」というところが、関係者の腕の見せどころになります。

展示標本の数は、展示物が大きな恐竜の展覧会などでは少なくなりますが、通常は二〇〇〇〜二五〇〇点程度に収めるようにします。国立科学博物館の特別展会場の床面積は一〇〇〇平方メートルで、この程度の標本数であれば余裕のある導線が確保できます。また来館者の多くが疲れを感じずに鑑賞できるのは一時間から一時間半程度なので、その時間内に展覧会を見終わるようにするためには、この程度の数が適当なのです。

次に解説パネルの分量ですが、私が作るときは会場全体の文字数が二万字程度に収まるようにしています。これまでの経験から、これを超えると来館者が標本を見るよりパネルの文章を読むことが目的になるように感じているからです。最近では通常のパネルの他に、基礎的な項目を簡単に説明した「子どもパネル」を配して理解を深める工夫もしています。解説パネルの文字数は、大項目パネルは六〇〇字まで、中項目二〇〇～三〇〇字、小項目（展示品解説）が一〇〇字以下を目安にして作ります。近年、展覧会も多言語化が推奨されているので、日・英・中・韓の四ヶ国語を併記したパネルを作ったことがあるのですが、スペースの関係で外国語を小さな文字にして日本語の下に配置したところ、前方に体の大きな外国人が立ち塞がって、後ろにいる日本人がパネルを読めなくなるという事態も起こりました。しかし今は、外国の方はスマホを日本語パネルにかざして自動翻訳で読めるようになりましたから、あえて外国語のパネルを作る必要もありません。テクノロジーの進歩に感謝しています。

説明しきれなかった内容は図録に収録することになるのですが、実は展覧会を作る順番としては図録が先にできるようにします。図録は製本に時間がかかるので、展覧会に間に合わせるためには開催日の二ヶ月前に原稿と写真が用意できていなければなりません。一方、パネルは二週間程度でできますからこのような順番になるのです。パネル文章は図録の内容を参考に作られるのが普通で、その内容はターゲットとして想定している来館者に合わせます。しかし実際には、想定している来館者層が大きく外れることもあるので、それほど厳密には考えているわけではありません。二〇一九年に開催した特別展「ミイラ」は、当初は高年齢層の来館者が多いと予想していたのですが、ふたを開けてみると来館者層の七割は若い女性でした。

百科事典型とストーリー重視型

過去の特別展を見直してみると、それぞれに異なる特徴があることが分かります。特別展には常設展とは異なる切り口が必要です。常設展では伝えきれない最新の情報や、特定のテーマに狙いを絞って解説することを目的として特別展は作られます。もちろん明確に分けることのできない展覧会もあるのですが、特別展は大きく百科事典型の展覧会とストーリー重視のものに分けることができます。例えば「昆虫」であるとか「植物」をテーマにした展覧会では、その分野に関連する多くの研究成果を紹介する形になります。展示構成は百科事典のように数多くの項目を網羅するものになり、相互の関係は薄くなります。実は常設展もどちらかというとこういう形になっていますから、このタイプの特別展は常設展示の深掘りのような内容になります。取り上げたテーマの最新研究の成果や、分野全体を俯瞰して見ることができる展覧会です。

一方ストーリーを重視した場合は、例えば「進化」であるとか、文明ものの展示のように、その起源から始まって展開していく姿を説明していきます。この場合は一冊の本を読んでいくように、展示の流れにそってテーマが深化していきます。作る側からすると、テーマをどう説明していけば理解してもらえるかを考えて展示のシナリオを作ることになります。私の場合は、ストーリー重視型の特別展を作ることが多かったのですが、更に表に出ているテーマとは別に背後にもうひとつのテーマを入れるようにしていました。その方が展覧会に深味が出るからです。

具体的に説明すると、二〇一二年に開催した「インカ帝国展」は、アンデス地域最大の国家だったインカ帝国について説明するものでしたが、この時は考古学・人類学・歴史学が、この帝国についてどのような方法で研究しているのかという、それぞれの学問の方法と成果について解説しました。研究方法をウラのテーマとしたのです。

二〇一七年の「大英自然史博物館展」では、世界で最も歴史が古く規模が大きい自然史博物館のひとつである大英自然史博物館を紹介するとともに、そもそも自然史の博物館はどのように生まれ、発展してきたのか、そして何を目指しているのかを紹介しました。大英自然史博物館を例として、自然史の博物館とは何かを説明したのです。また先にお話しした「ミイラ」では世界のさまざまなミイラを紹介したのですが、同時に遺体が腐敗しにくい世界では、亡くなった人をミイラとして保存し、崇拝していくという死生観が生まれること、死という概念も決して人類共通のものではなく、環境や歴史的な経緯によって異なるものであることを解説しました。

特別展の大切なところは、普段は国立科学博物館に来ることのない人たちにも来館してもらえることです。特別展に入れば常設展も見学することができるので、博物館を知ってもらうきっかけになります。実際は特別展を見るだけで疲れてしまって、なかなか

特別展「インカ帝国展」ポスター

常設展までを見学することは難しいのですが、一部でも見て頂ければ機会を改めて来館してもらう動機付けにはなると考えています。そのため、これまで科学にあまり興味のなかった人たちにも国立科学博物館に来てもらうために、今後も魅力的な特別展を作っていくことが重要です。特別展は科学を身近なものにするために重要な役割を担っているのです。

2　コロナ禍の博物館活動　ネットの活用とコンテンツ

来館者数、八割減

危機は変化を加速する、という言葉があります。私たちは、二〇二〇年の年頭から二〇二三年の半ばまで、新型コロナウイルス感染症のパンデミックによって、社会が大きく変わる姿を目撃することになりました。紛れもなく私たちは危機の中にいたわけですが、このパンデミックは、徐々に進んでいた高度情報通信社会への流れを一層推し進めることになりました。感染症の流行は人の移動に大きな制限をかけます。ワクチンの接種が進むまで、私たちは一〇〇年前と同じように、マスクをしてなるべく人に会わないように家に閉じこもるしか予防の手段はありませんでした。生活は一変し、学校を含む多くの社会活動が停止せざるを得ない状況に追い込まれましたが、インターネットの発達は感染症の流行に対して、これまでとは違う対応を可能にしました。

博物館でもさまざまな対応を強いられることになりましたが、そこからは新たな活動も生まれました。今後の博物館をどのように変えていくのかを考えるためには、この三年半の間に博物館が何をしたのかを総括しておくことも必要でしょう。そこで、この間の国立科学博物館の活動をふり返り、今後の活動をどのように進めていくべきなのかを考えてみたいと思います。

私は国立科学博物館を二〇二一年三月に定年退職する予定でした。そのため二〇二〇年の一月に始まったパンデミックは、最終年度の計画を大きく狂わせることになりましたが、個人的にはむしろメリットの方が大きかったと思います。県をまたぐ移動が原則禁止になったので、筑波の人類研究部にほとんどのメンバーが来なくなり、ひとりで静かに残務整理をする時間ができました。「終活」には良い環境だったと思います。しかし、当然のことながら博物館全体の活動には大きなダメージとなりました。

入館者数で見ると、コロナ禍直前の二〇一九年度は三月の一ヶ月間を休館したものの、一一ヶ月で二七〇万人を超える入館者があり、これは国立科学博物館の歴史の中で最高の入場者数でした。年間三〇〇万人近くの入館者がある博物館は世界を見渡してもそれほどあるわけではなく、当館も世界有数の博物館に成長したと誇れるレベルに達していました。しかし二〇二〇年度は、国による二度にわたる緊急事態宣言の発出と二ヶ月間の臨時休館によって入館者数は五三万人あまりにまで激減しました。実に来館者が八割減となったわけですが、当時は上野界隈の飲食店の客足も二割になったと言われていましたので、どこも事情は同じなのだと妙なところで感心した記憶があります。しかし、博物館には国からの補償はほとんどありませんでしたから、財政的には大きなダメージを負うことになりました。前年度までの内部留保を取り崩しながらの綱渡りの運営が続きました。なお、コロナ禍の終焉と共に徐々に来館者は戻っており、それは数字に表れています（次頁グラフ参照）。二〇二二年度には二〇〇万人まで戻り、二三年度もそれを上回る来館者数になりそうです。また、二三年の秋からは予約入館制度も完全撤廃し、表面上はコロナ禍以前の状態に戻りつつあります。ただし、科博に限らず多くの館で、高齢者の来館数が落ちていることが指摘されています。コロナ禍で外出を控えていた人たちが戻ってきていないようなのです。このことは今後の博物館活動、例えば特別展のテーマ設定などに影響を与えるだろうと考えています。

来館者数の変化

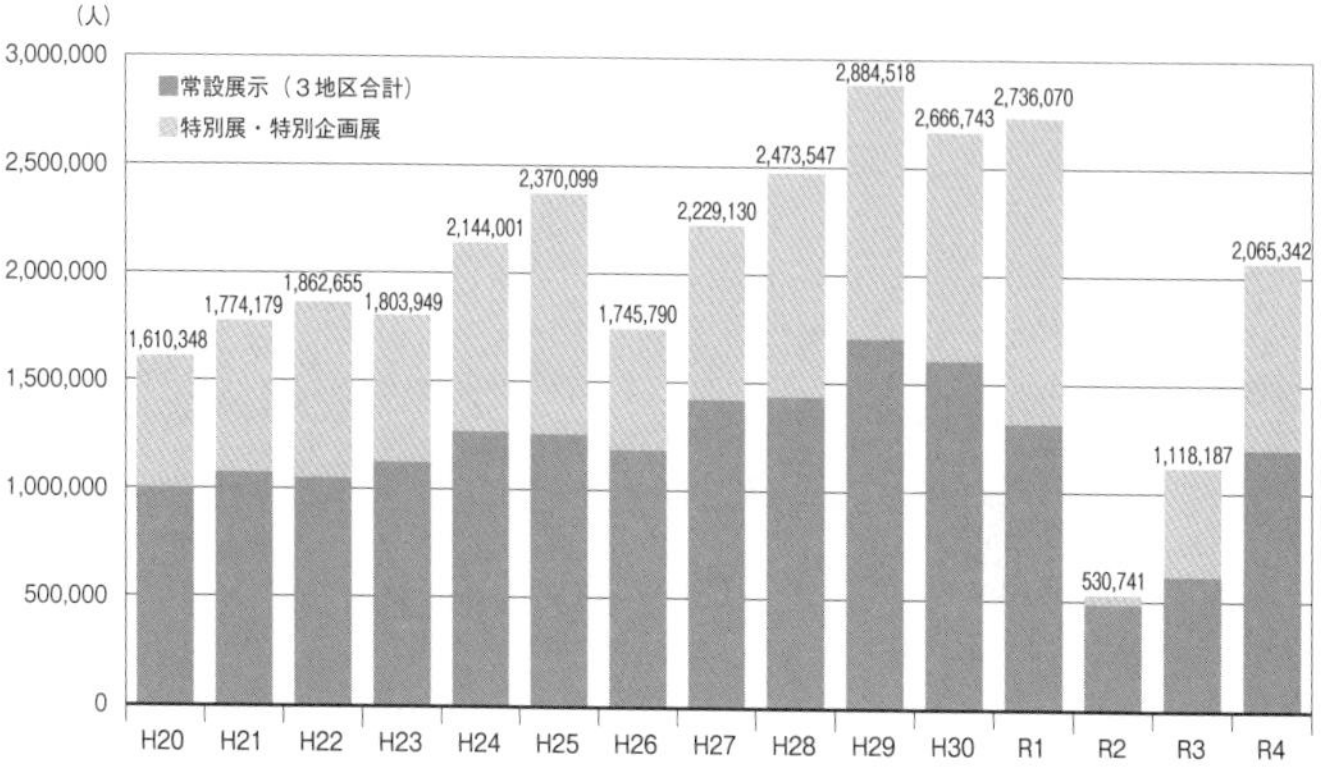

YouTubeを使った情報発信

休館中の博物館は施設の維持だけでなく、新たな取り組みを行っていますが、二〇二〇年の活動をふり返ってみると、学校の休校が大きな影響をあたえたことが分かります。子どもたちが自宅学習を強いられることになったために、博物館でもYouTubeを使った情報発信を試みました。活動は研究者による自主的なものでしたが、動画作成は一人ではできないので事務系の職員も協力し、それぞれの専門を生かした短い学習動画を作って発信しました。普段から子どもたちに接している博物館だからこそ、このような取り組みを自然発生的に行う事ができたのだと思います。また学習を担当する部門では、家庭学習を補助する教材として、来館しなくても学ぶことのできる、鳥や人間の骨をテーマとしたコンテンツのワークシートを新たに作成し、館のホームページに公開しました。

更に一般来館者向けには、休館によって開催できなかった、あるいは会期が短縮された企画展の紹介動画を作ってネットに公開しました。とにかく、博物館のコンテンツの中で、ネットに載せることができるものはできるだけ発信しようというのが、この時期の方針でした。特別展に関しても、協賛者の了解が得られたものは、一部のコンテンツの三六〇度画像をスマートフォンなどでも鑑賞できるように配信しています。ただし、これらの活動はあくまでも博物館を取り巻く環境が急激に変化したことへの対応策で、統一した方針の下に実施されたものではありませんでした。

今回のように早急な対応が必要なときには、ゼロから始めて全く新しいものを生み出すことは難しくなります。そのため作成したコンテンツの多くは、これまでパイロット的に行われていた事業を拡張して実施したもので、広報や学習活動を担う部署が従来の業務を越えた活動を担いました。取り組みの多くはトップダウンではなく、現場からのボトムアップでなし遂げられました。これは考えてみれば当然で、トップダウンのシス

かはくVRのHP画面

テムは平時において機能するもので、想定外の事態には対応しにくいのです。新しいものは実践の場から生まれるということなのでしょう。

一ヶ月で一〇〇万回以上閲覧された「かはくVR」

この時期に行った活動の中で、ひとつだけ全く新たに作り上げ、博物館の機能を拡張する可能性のあるコンテンツがありました。それは二〇二〇年四月に一回目の緊急事態宣言発出中に配信を開始した「おうちで体験！『かはくVR』」というVRコンテンツです。国立科学博物館の全ての常設展示をVR空間に再現し、ネット経由で自由に閲覧できるようにしたのです。この間に公開したYouTubeコンテンツの閲覧数は、多いものでも数千回程度だったのですが、このＶＲコンテンツは一ヶ月で一〇〇万回以上の閲覧数になりました。桁違いに注目されるコンテンツだったのです。

公開時期がゴールデンウィークに重なっており、外出の自粛でどこにも行けない人たちのためにテレビの情報番組などで紹介されました。また同様に夏休み中の番組でも取り上げられ、それが閲覧数を伸ばす要因だったことは間違いないのですが、他のコンテンツとの閲覧数の違いは明らかでした。このことは人びとが博物館に求めるものを考えるヒントになります。YouTubeコンテンツが知識を伝えるのに対し、ＶＲは擬似的な博物館体験を提供します。この時期に人びとが求めていたのは、知識ではなく体験だったのでしょう。

後から考えてみれば、どこへも行けないという情況の中で、それは当然のことなのですが、これまで博物館は知識を伝える機関だという意識が強く、体験を提供している場所だという考え方が希薄だったような気がします。インターネットとＶＲ技術の発達は、これまで距離の問題でアクセスできなかった人たちへも博物館体験を届けることを可能にしたのです。また、ＶＲコンテンツの利用については、もうひとつメリットがあります。それは研究者がこのＶＲの録画機能を使って、館内の展示品についての解説動画を簡単に作ることができたことです。博物館というプラットフォームを仮想空間に準備したことで、博物館の活動は大きくその幅を広げることになりました。

来館回数と距離の相関

ネット社会が可能にした博物館と人々の間の距離の問題について、少し考えてみましょう。新型コロナウイルス感染症の流行によって、繁華街における人出の増減が注目されましたが、この時は分析に用いられるのが携帯電話の匿名化した位置情報だったことを記憶されている方も多いと思います。誰もがスマホを持ち歩く時代になって、個人の行動に関する情報を得ることが容易になりました。この携帯の位置情報をもとにして、世界の六都市における人びとの行動パターンを解析した研究があります。それによると都市部では特定の場所にいる人の数と、そこまでの移動距離の間には逆二乗の法則が成り立つことが明らかになっています。これは直感的に言うと、人々は近場には頻繁に出かけるが、遠くにはあまり行かない、ということを表しています。距離と行く回数には相関があって、例えば二㎞離れた場所に週五回やってくる人の数と、五㎞離れた場所に週二回訪れる人の数は、どこの都市でも同じになるということがわかったのです。複雑な人の行動パターンも、全体で見ると単純な物理法則に従っているというのは驚きです。

身も蓋もない話ですが、ここから国立科学博物館も含めて、上野にある博物館のどこにも多くの来館者がある最大の要因は、交通の便が良いことと周辺に大きな人口を抱えていることであると分かります。多くの人々は往復にかかる時間も含めて、どこに行くかを決定しています。トータルでかかる時間が、どこに行くかの決め手になっているのでしょう。博物館の来館者数は、その立地に依存するということで、その点で国立科学博物館は恵まれています。

一方、このことは東京から離れた地域の人々は当館には滅多に来ない、ということも示しています。博物館の情報発信を全国規模にするためには、距離を縮める必要があるということになるのですが、この場合方法はふたつで、ひとつは展示を地方に持っていくこと、もうひとつはネットの利用です。コロナ禍はネットの利用を促進しましたから、インフラは整っています。また、ネット利用者の指向として体験型、参加型のコンテンツを望んでいることも明らかになりました。今後の博物館のネットコンテンツの内容は、この方向に進むことになります。

先にも触れましたが、かはくVRがテレビの情報番組に取り上げられたことで大きく閲覧数を増やすことができました。ネットを使った情報発信で重要なのは周知の方法です。そのためにはSNSを利用した情報発信と共に、来館歴のないユーザーなど幅広い層へ博物館の魅力を伝えていく必要があります。これはなかなか難しいのですが、国立科学博物館では民間放送の人気アナウンサーだった桝太一さんにお願いをして、YouTubeを使ったライブ配信企画を何本か行いました。チャット機能を使ってリアルタイムで届く視聴者からの疑問や質問に答えたり、自然科学の世界に興味をもつきっかけを提供する企画として行いました。一定の効果はあったと感じていますが、このような企画は継続して行うことが困難で、それをどう克服していくのかが問題として残りました。

ポケモン化石博物館展

世界中からのアクセス

二〇二〇年は社会の混乱に対応するための活動を行いましたが、二〇二一年以降はVRのような博物館機能を拡張する新たな試みを模索しました。企画展についてもできるだけVRコンテンツとして公開していったのですが、その中のひとつに「ポケモン化石博物館」があります。ポケモンは説明するまでもない有名なゲームですが、この展示はポケモンシリーズに登場する「カセキポケモン」と私たちの世界で見つかる「化石・古生物」を見比べて、似ているところや異なっているところを発見し、古生物学について楽しく学ぶことを意図して作ったものです。ポケモンは世界的にも有名ということもあって、この企画展の内容とVRコンテンツがアメリカの有力新聞であるワシントンポストに東京発の情報として記事になりました。その途端に、このVRには世界中からのアクセスが集中しました。インターネットが世界に広がっていることを実感しましたが、同時に英語圏への情報発信のポテンシャルの大きさも重要性も感じました。ネットにコンテンツを公開しているということは、世界を対象にしているということだとの認識を持つことも重要なのでしょう。特にAIによる自動翻訳機能が発達していることを考えると、日本語のコンテンツがそのまま世界に通用する可能性もあり、今後は世界を意識する必要があると感じました。

国立科学博物館の講演や学習支援活動がコロナ禍でどのように変化したかも見ておきましょう。従前は対面式で聴衆を集めて行っていたこれらの活動は不可能になりました。そこでコロナ禍の初期にはオンラインでの活動に切り替えました。しかし質疑応答のない講演会はネットで公開する場合、時間に縛られる必要もないので、すぐにオンライン(リアルタイム配信)と、視聴者の要求に応じて動画を配信するオンデマンド方式を併用することにしました。そして二〇二一年以降に行動制限が緩められた後は、対面式とオンライン・オンデマンドの併用に移行しています。コロナ禍が去っても、講演会が二〇一九年以前の対面式だけに戻ることはないでしょう。これは元に戻ることのない変化の一例だと思います。

国立科学博物館では、この間にオンラインやオンデマンドで配信するノウハウを蓄積しました。これは配信やコンテンツの作成を全て自前の職員によって行ったことで可能になったものです。充分な資金があればその度に外注した方が、安定的な配信や質の良いコンテンツを作ることができたと思います。しかし、自前での作成にこだわったことで、コロナ禍以降も活動を継続することができるようになりました。ネット配信に関するインフラは今後更に充実するはずですし、コンテンツのアーカイブ化を進めることもできます。元はといえば資金難からの出発でしたが、やり遂げたことで博物館の資産とすることができました。

博物館の作るコンテンツの特徴

最後に博物館の作るコンテンツについてまとめておきます。博物館の活動は、人びとに来館してもらい、実際に博物館を体験してもらうことを目的とすべきなのは当然でしょう。ですから博物館が作成するネットコンテンツは、あくまで来館を前提としたものになります。博物館機能全体をバーチャルなものに代替することを目的とすると、最終的にはリアルな博物館の存続を否定することになりかねません。その点は注意が必要です。博物館が自前で情報を発信することには意味があります。TV番組や一般のYouTubeと違う点として、博物館が提供するのは自身の活動の中から生まれるコンテンツであって、視聴者に寄り添うための過剰な演出も、視聴率や受けを狙う必要もないということが挙げられます。また、大学発の情報とは違って、博物館研究者はあらゆる層の来館者を相手にしているために、より分かりやすいものを作ることができる点で優れています。今後も、このようなメリットを生かしたコンテンツを作っていくことになります。

博物館体験を、博物館に来るまでと、来館してから、そして帰った後に分けると、ネット配信を前提として作成したコンテンツも、それに対応して三つのグループに分けることができます。来館前の人びとを対象としたコンテンツは、誘導が目的になります。

いわば予告篇に当たるもので、SNSなどを利用して企画展の紹介や、常設展示の内容を短い動画などで紹介するものになります。三年半の国立科学博物館の活動を見ると、このタイプの情報発信が一番多かったことが明らかになっています。多くのコンテンツは広報関係の部署で作られましたので、必然的にそうなったわけですが、これは博物館のネット利用が告知を目的に行われる場合が多いということを示しています。学校現場などでは、VRを利用した事前学習に利用できそうですが、そのためには予習用のワークシートなどを用意する必要があるかも知れません。

来館した人たちへ提供するコンテンツとしては、スマホやタブレット端末を利用した音声ガイドが挙げられます。二〇二二年の夏に人気のアニメとコラボした企画展「Dr.STONEとめぐる科学の世界」を開催しました。その中で新たな試みとして、標本の前に置いたQRコードをスマホなどで読み込むと、アニメの声優による解説が聞けるシステムを導入しました。人気のある声優を起用したことで、この企画展には多くの来館者がありました。声優とコラボしての標本解説は、特別展では普通に行われています。これを常設展にまで拡張する試みは、日本独自のコンテンツとして、今後も取り組んでいく価値があると思います。

来館後のネットの利用方法については、現状では最もコンテンツの開発が遅れていま す。博物館としては、どうしても来館してもらうまでに力を入れますので、この部分が手薄になってしまいます。考えられる利用法としては、YouTubeによるテーマ別の解説動画やワークシート形式の学習プログラムなどが挙げられます。いずれも学校現場での利用と親和性が高そうです。家庭での利用はVRを見ながら追体験などが考えられますが、新たに博物館として何を提供できるのか、今後検討する段階に留まっています。

以上、リモートコンテンツの現状と将来について考えてみましたが、今後もこのような活動を博物館として行うためには、継続性をどのように担保するか、誰が全体を統括し、学習活動や広報といった異なるジャンルを結びつけて戦略的な発信をして行くかが問題となります。いずれにしても予算の裏付けが必要ですが、ネットによるコンテンツは入館料という形での集金ができません。この点が最後に残された課題となっています。この問題をどのように解決するかが、今後の博物館の活動を大きく変えるカギになります。

3　科博史上最大の挑戦　クラウドファンディングへの道①

「パンドラの箱」を開けた

酷暑が続いた二〇二三年の夏は、将来的には国連の事務総長の言った「沸騰する地球」という言葉とともに思い出されるようになるでしょう。科博にとっても、記録的な猛暑は標本を保管するための光熱費の高騰を招き、館の運営を直撃しかねない事態となりました。そのため、不足する運営費を充足するために「地球の宝を守れ」というスローガンを掲げて大規模なクラウドファンディング（クラファン）を行い、それを成功させた年になりました。八月七日の午前九時、クラファン開始を伝える記者会見を始めたころから、徐々にお金が集まり始め、お昼のテレビニュースで流れたとたんに運営会社のサーバーがダウンするまでになりました。目標とした一億円をわずか九時間で達成し、最終的に九億二〇〇〇万円を集めたことは、日本のクラファン史上でも語り継がれる成功例となり、社会現象とも言うべき情況を生みだしたのです。この成功については、寄せられた寄付額の大きさに注目が集まりましたが、科博にとっては、五万六〇〇〇人もの支援者を集めたことの方が大きな意味があると考えています。本当に感謝の気持ちしかありません。

館の運営が瀬戸際に追い込まれ、皆さんに支援をお願いするしかないと考えてのクラファンでしたが、それが結果として、公共施設の運営のあり方、博物館への市民のまなざしなど、多くのことを可視化することになりました。一般には、クラファンは特定の事業を実施するための資金獲得のために行われますが、今回の科博の取り組みは、館の運営に必要な資金が不足したことに対する支援のお願いでした。そういう意味でも、これまでのクラファンのイメージを変えたとも思っています。一方でネットでは、本来国が面倒を見るべき運営資金を何故、クラファンで集めるのか、という批判もありました。このクラファンは「パンドラの箱」を開けたのかも知れません。そこでこの章と次章では将来の評価のために、今回のクラファンのさまざまな側面についてまとめておこうと思います。

独立行政法人としての科博

短期間で多額の寄付が寄せられた背景には、皆さんが安定していると思っていた科博の運営が実際には綱渡りの状態だったことへの驚きがあったのだと思います。多くの人びとが感じたのは、国立の組織なのに何で資金難に陥るのかという疑問だと思いますので、科博の運営資金についてから話を始めます。そこには科博という組織の形態が関係しています。

先にも述べたとおり、科博は「国立」という名称が付いていますが、二〇〇一年から独立行政法人（独法）に移行しています。独法というのは完全に国家が面倒を見るわけではなく、かといって全くの民営の組織でもないという中途半端な存在です。独法を所管する総務省によれば、独立行政法人制度とは「各府省の行政活動から政策の実施部門のうち一定の事務・事業を分離し、これを担当する機関に独立の法人格を与えて、業務の質の向上や活性化、効率性の向上、自律的な運営、透明性の向上を図ることを目的とする制度です」とあります。「公共の利益」を実現するための行政機関に準ずる機関として位置づけられているのです。独法が目的とするのは、利潤の追求ではなく、公共の利益であるということが重要で、その点で民営の組織とは異なっています。ただし独立の法人格を持っており、全ての活動を国の資金に頼っているわけではありません。また、もともと行政改革の有力な手段として導入されたという経緯があり、「効率性の向上と自律的な運営」を目指すところから、国からの予算の削減も視野に入っています。

年度によっては、国から特殊業務経費という特別な事業をするための資金が出ているので、単年度の比較では増減がありますが、長期で見ると国からの運営費交付金は減っています。業務に関わる経費については効率化係数が設定されており、毎年の経費は一パーセントずつ減らされる仕組みになっています。科博ではそのような事情もあり、二〇一七年までは常勤職員数を段階的に減らしてきました。独法に移管した二〇〇一年の入館者は一〇〇万人に満たないものでしたが、二〇年後には三〇〇万人に迫っていました。人員を削減しながらこれだけの運営をしていたのです。まさに、独法の理念通りの活動をしていたと言えるでしょう。

国からの予算の削減分は、入館者数を増やし、入館料収入を上げることで相殺してきました。コロナ禍前の段階では、国からの運営費交付金が八割、入館料などの外部資金が二割で運営するという情況でした。ところが新型コロナ感染症の影響で、右肩上がりだった入館者数が極端に減ってしまうことになったのです。先述のとおり、コロナ禍が本格的に始まった二〇二〇年度は来館者が前年の二割まで落ち込み、入館料収入が八割減にまで落ち込みました。今では国立大学も法人化されていますが、大学は授業料という固定費が入りますから、このような影響は受けにくい構造になっています。今回のコロナ禍は、入館料という安定しない財源で運営を行わなければならない博物館や美術館を直撃することになったのです。

更に独法は制度的に内部留保がしにくいということも、突発的な財政難に対応できない原因のひとつになっています。科博は、独法の中では中期目標管理法人というカテゴリーに分類されており、五年ごとの中期的な目標・計画に基づいて公共上の事務・事業を行うこととされています。そのため五年目終了時に留保している資金は、利益と見なされて国に返納する義務があります。一般企業であれば、収入が増えたら余剰金を内部留保にして、不測の事態が起きても直ちに資金難に陥らないよう備えることができます。しかし、独法という組織ではそれが制度上不可能なのです。したがって、常に五年をサイクルとした「自転車操業」を強いられることになります。このような制度ですから、徐々に財政が逼迫していくことは当然で、今回のような突発的な出来事がなくても、近い将来になんらかの財政的な手段を取らざるをえない情況に陥ることになったと思います。そういう意味では、コロナ禍は危機を加速化したということなのでしょう。

コロナ禍初年度の二〇二〇年度は第四期中期目標期間の最終年だったので、ある程度運営資金に余裕がありました。そのため、何とか赤字を出さずに運営ができたのですが、私が館長に就任した二〇二一年度からは第五期が始まり、内部留保のない状態からスタートする必要がありました。就任早々、当時の財務課長から運営が大変になると告げられました。そのため超緊縮財政を組み、事業費や研究のための資金をできる限り切り詰めました。幸い、国にある程度面倒を見てもらうことができたこともあり、この年は、何とか赤字を出さずに運営ができました。

ついでに言うと、赤字を出したらどうなるかというと、そのことを主務官庁の長である文科大臣に報告し、赤字の補塡をお願いすることになります。それが認められると、次は文科大臣が財務大臣に対して、特別な支出をお願いします。それが認められれば補塡がされるので、仕組みとして、国に赤字分を補塡してもらうことは可能なのです。しかしその場合でも、身の丈に合わない運営をしていると判断され、翌年度からは人も事業も減らしなさいという、組織と活動を縮小する圧力が強まることは容易に想像がつきます。借金が返せず銀行の管理下に置かれた民間企業のようなものです。ですから独法を運営する立場としては、そのような事態は避けなければなりません。科博の事業を円滑に継続していくためには、単年度でも赤字にはできないのです。

危機的情況

二〇二二年二月には、更に経営を困難にする事態が起こりました。ロシアによるウクライナへの侵攻です。これにより今度はエネルギー価格の高騰で光熱費が上がりだしました。具体的には、それまで年間に二億円程度だった光熱費が二倍の四億円くらいにまで跳ね上がることが予想されました。科博の年間経費は三〇億円ほどですから、この額はかなり大きなものになります。また、タイミング的には最悪なことに、ちょうどそのころ、私たちは筑波に新しい収蔵庫を作っていました。自然史・科学技術史の博物館は、標本などの収蔵品が増えることはあっても減ることはないので、収蔵庫の新設は避けることができません。新収蔵庫は国に予算請求をしてコロナ禍前に認められたものでしたが、その建設費の値上がりにも対応しなければなりませんでした。こうして三つの財政的な非常事態が重なり、二〇二二年度は運営費が本当に危機的な情況になることが予想されました。

私自身も外部資金の獲得のために、この間に日本でも有数の大企業を回ってみたのですが、日本の大企業の多くは株主の力が強く、株主総会で認められない恐れのある単純な寄付は難しいことが分かりました。絶滅危惧生物の保護のようにＳＤＧｓ等の活動に資する事業には、ある程度の支援が期待できるのですが、科博も本来の業務を脇に置いて、そればかりを行うことはできません。企業の要求に合致する事業をするためのリソースには限りがあるために、それほど多くの寄付を集めることはできないと分かりました。

このような情況でしたから、他の国立博物館と歩調を合わせる形で、二〇二二年度の補正予算で光熱費高騰分の補填をお願いしました。しかし国からの回答は期待した額ではなく、ここに至って危機が現実となりました。国からの説明は、税金を投入して石油元売り業者などにエネルギー高騰分の補填をしているので、二重の補助はできないということでした。しかし元売りに補填をしているといっても、実際の光熱費は驚くほど上昇しているのですから、何らかの対策は必要です。

全国の大きな自然史系博物館の館長は、年に一度集まって会合をしているのですが、この年の議題のひとつは当然ながら光熱費上昇に対する対応策でした。他館からは、「おたくは国立だから安泰ですね」と言われましたが、実際のところ、補正で予算が付かなかったのは科博だけだったのです。補填の額は、光熱費上昇分の全てをカバーできるものではなかったようですが、地方自治体はどこも博物館に補助金を出していました。

一二月の段階で、翌年三月には予算不足に陥ることが予想されたので、この時点で未執行だった研究費や事業費を可能な限り引き上げました。研究者や事務職員に、一度約束した資金を、使っていないという理由で返還するようにお願いしたわけですが、このことは予定していた調査や実験機材の購入、あるいは教育関係の事業などをストップさせることを意味しています。研究職以外の職員にも、子どもたちへの普及活動やニュースに対応した展示の工夫など、多くの新しい企画を諦めてもらいました。私は館長として研究や事業をする環境を担保するのが仕事なのに、その責任を全うできなかったわけです。これは運営を任されているものとして、痛恨の極みとも言うべき事態でした。

二〇二二年度末での余剰金は数十万円レベルという、何か突発的な出来事があれば対応できない状況でしたが、このような努力の甲斐もあって、本当にギリギリの情況で年度を終えることになりました。一方、一二月には翌年度の国からの運営費交付金の額が開示されましたが、その額では高止まりしている光熱費や強まるインフレの傾向などを考えると、再び予算不足の危機になることは必至でした。予想される不足額を充塡するためにさまざまな資金調達の手段を考えてみましたが、従来の外部資金調達の枠組みの中では、とても賄うことのできない額でしたので、一月には「クラウドファンディングで行くしかない」と決めました。関係省庁と打ち合わせやクラウド会社の公募を経て、半ば見切り発車で二〇二三年八月七日にクラファンをスタートしたのです。

地球の宝を守れ

ここで、クラファンのスローガンを「地球の宝を守れ」とした経緯について説明しましょう。地球の宝とは、私たちが収集・保管している五〇〇万点超の標本・資料のことを指しています。すでに説明しましたが、科博のミッションは、「標本資料の収集・保管」とそれに基づく「調査研究」、そしてその成果を元にした「展示・学習支援」になります。従って「標本資料の収集・保管」は当館の事業の根幹をなすものです。

そもそも博物館はなぜ、大量の標本・資料を収集するのでしょうか。その理由は本書でも折に触れて述べてきましたが、あらためて二つの観点からまとめます。ひとつは、例えば生物では同じ生物種でも収集を続ける必要があるということです。昨今では、気候の変動や人為的な活動によって自然環境は大きく変化しています。かつてどのような生物が分布していて、絶滅してしまったのか、外来種の流入はなぜ起きたのかということを調べるためには、その証拠となる標本が重要になります。しかし、過去に遡って標本・資料を集めることはできないため、同じ地域で何度も採集活動を行い、保存していくことが重要です。

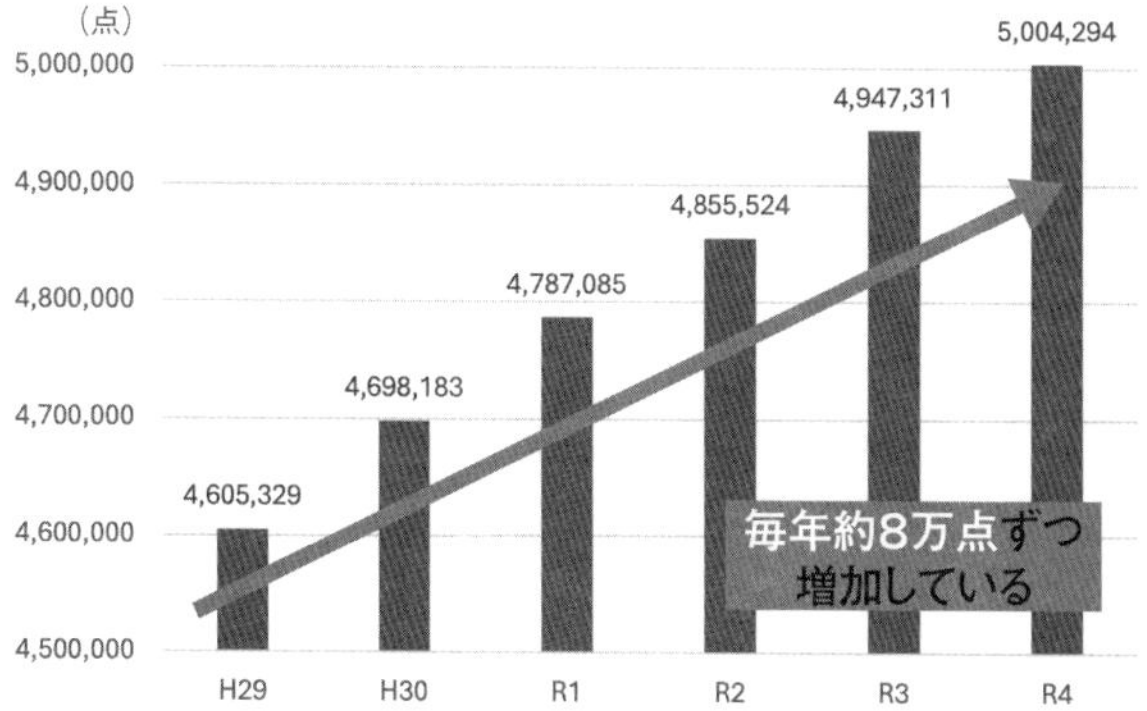

標本数の推移

標本は「科学的にものを考える」材料です。様々な時代にいろいろな場所で収集された標本・資料を幅広く保管することで、データをより多く積み重ねることができ、調査研究に基づく仮説の精度を高めることが可能となります。例えば、生物は短期間ではごくわずかしか変化しませんから、正確にものを知るためには大量の標本が必要です。いますぐ役に立つかどうかわからなくても、将来のために残さなくてはなりません。現在の日本は、アマチュアや大学の先生が集めた標本が捨てられてしまう危機に瀕しています。地方の博物館を含めて、引き取ってほしいという話がたくさんあるのですが、それに応えることができなくなっているという現実があります。まさに瀬戸際の段階になっていると感じており、標本の収集は正念場を迎えています。

二つ目は、分析の技術は進歩するということです。最近であれば、DNAの解析技術の進展によって、過去の標本からDNA情報を得ることができるようになっています。新たな分析法が開発されても、標本がなければ研究はできません。ですから過去の標本をなるべく良い状態で保管し続けることが重要になります。私は自然人類学の研究者ですが、その研究も過去の研究者たちが集めた標本で成り立っています。日本人の起源を探るためには過去一〇〇年間で集めた人骨標本が必要なのです。

DNA分析による研究はまだ三〇年ほどの歴史しかなく、二〇二二年にスバンテ・ペーボ博士がノーベル賞を取った古代ゲノム研究は、ここ一〇年くらいでなし遂げられたものです。新たなテクノロジーが出現して、一挙に研究が進むときには、過去に集めておいた標本が必要不可欠です。短期間で成果が出たようにも見えますが、長期間にわたる標本の収集があったからこそできたのです。

標本コレクションの質を高め、量を増やしていくことで、それを元にした研究の質も高くなります。その成果は広く社会で共有され、展示、学習支援活動といった、より皆

動物研究部

人類研究部

狭隘化する収蔵庫

様に身近な活動に活かされることになるのです。これこそが、質の高い標本を維持し、増やしていくことの意義であると考えています。たとえ今すぐに研究をしない標本でも、それをキチンと管理しておくことが将来の研究にとって重要なのです。証拠になる物がなければ、何もわからない。役に立つか、お金になるかといった目先のことだけを大事にしていたら、何も進まない世界になってしまうでしょう。そうならないために、社会における人々のための「コモン（共有財）」を充実させる。それが博物館の重要な使命なのです。

科博の場合、標本・資料は現在、年間数万点ずつ増加しています。分類群ごとに整理され、保管されていますが、すでに筑波地区にある収蔵庫では、収蔵スペースの確保が難しい状況となっています。この間の報道等で目にした方もいると思いますが、受け入れをしたものの整理されておらず、廊下に山積みにされるなど、標本・資料にとって理想とはいえない状況で保管されているものも多数あります。また、空調設備や登録作業など、標本の維持・管理にも多くの資金を要するため、受け入れを泣く泣く断っているコレクションも多数存在します。前述したように、新たな収蔵庫を作る予算が認められたのですが、残念なことにそのことが科博の財政状況を悪化させる原因のひとつになってしまいました。しかし、今回のクラファンの成功のお陰で、この問題は解決することができて、本当に安心しました。

博物館の研究者は、一〇〇年、二〇〇年とモノを集めたら、二〇〇年先の人間が教科書を書き替えるような発見をしてくれるという可能性を信じています。今の時代だと、その瞬間に稼げるお金に対しての必要経費という見方をするので、稼げない分野に関しては経費をかけるのを止めましょう、という話になってしまいます。長い目で考えるには、体力も知力も財力も必要なのです。それを必要経費と見るかどうか。人生一〇〇年時代において、長い目で物事を考えるか、短期的な投機を繰り返すのか。今は社会的なレジームチェンジが必要な時期なのだと感じます。今生まれたばかりの子どもや、これから生まれ育つ子どもは二二世紀の世界を見ることになります。彼らが目の当たりにする世界をどう形作っていくか、今の私たちが考えて後世に伝えていかなければなりません。そのためにも標本の収集と継続は重要だと考えています。

4　手に入れた一番の資産　クラウドファンディングへの道②

クラファンをするということ

クラファンでパートナーとなる企業は、公募入札によって選定しました。選ばれたのはＲＥＡＤＹＦＯＲ（レディーフォー）という会社で、実は科博はこの会社とは過去に二回、クラファンを行ったことがあります。台湾から沖縄の与那国島まで手作りの舟で渡るという冒険的な要素の高いプロジェクトで、二回のクラファンを行って、いずれも三〇〇〇万円以上の寄付を集めることができました。ある程度、仕事のやり方の分かっている会社でしたので、やりやすい面はありました。館内に向けては、二〇二三年度の初めの四月三日に全職員に向けて「クラファンをやるので協力をお願いします」という内容のメールを送り、そこから本格的に準備作業が始まりました。

クラファンはリターンと呼ばれる返礼品などを準備する必要があるので、それなりに時間をかけて制度設計をする必要があります。レディーフォーとの話し合いの中で、返礼品の準備などに充分な時間をとった場合には、開始できるのは一一月、急いでも九月スタートと言われましたが、昨年度の情況を考えると、それでは今年度の運営資金の補塡にはならないので、早ければ夏休み前の七月、遅くとも八月に始めることを私の判断で決めました。しかしそのため、多くのことが「走りながら考える」状況となり、関係者にかなりの無理を強いることになりました。やはり億単位のクラファンを実施するとなると、準備期間は一年程度取らなければならないのでしょう。

なお、募集の金額を一億円としたのは、これくらいが精一杯という判断からでした。光熱費や物価の上昇を考えると、実際はその倍くらいの資金が必要でしたが、この額であっても「目標が高すぎる、集まらなかったらどうするのか」という心配の声が出ていました。達成できないときには館の面目にもかかわりますし、クラファンで集めることのできた額というのは、ある意味、実施した組織の価値を可視化することにもなります。最悪の事態は、資金が足りないことに対して自己責任論が続出して、クラファン自体が不成立に終わってしまうことですから、それらの危惧も理解できました。また、額を大きくすることは、リターンの準備など職員に大きな負担をかけることになります。そういう判断から、この額を設定したのですが、一方で募集の期間を、通常は二ヶ月程度という一般のクラファンよりも長い三ヶ月としました。

結果的には、目標金額の九倍を超える金額が集まったわけで、私たちの見込みは大きく外れることになりました。本当に嬉しい誤算なのですが、ここまで予想を外すと、私たち自身に何か問題があると考えなければなりません。なぜ、このような乖離が出たのか、現時点で指摘できることとして、私たちにクラファンという仕組み自体が、それ程大きな額を集めるものではないという思い込みがあった、というのが一番妥当な説明だと思います。今回の科博の成功はクラファンの募金額の壁をも壊したのかもしれません。

また、国の財政も厳しいこともあり、私が館長になってからは毎年の概算要求で、こちらが重要だと考えることをお願いしても、なかなか通りませんでした。そういうことが続いたことで、正直言って科博の自信も揺らいできていたという事実があります。人間も同じですが、組織もやりたいことを否定され続けると、自己肯定感が低くなります。それが一億円という金額を達成の難しい額だと思わせたのでしょう。今回のクラファンで、多くの方々が応援してくれていること、社会の中に科博がある意義を国民の皆さんが支持してくれていることを改めて確認することができました。これは私たちの一番の資産になりましたし、科博の役割を改めて見つめ直す機会にもなりました。

短距離走からマラソンへ

さて、クラファンをするためには、それなりの返礼を考える必要があります。レディーフォーとの話し合いの中では、最近の返礼は「モノよりコト」という指摘を受けました。それを念頭に置いてはいたのですが、一億円ともなると、かなりの種類の返礼を用意する必要があります。また、体験型の返礼には、ある程度の人的なリソースを割かなければならず、実施できる回数が限られます。その中で、実際に研究部からアイデアを募集したところ、二〇〇くらいの提案が出てきました。とても実現できそうもないものもあったのですが、それらの中から可能なものを厳選し、四〇ほどに絞りました。私も感心したのですが、科博の研究者は誰もが専門分野のいわば「オタク」なので、その心を反映した提案がたくさん出てきました。これは自分の好きなことを仕事にしている研究者の長所なのでしょう。体験型に関しては、収蔵庫の見学や標本作りなどを考えました。ただし一回の参加人数が限られるので、それほど数を揃えることができませんでしたが、今回のクラファンで大切なのは、科博に思いを寄せてくれている「仲間」の皆さんと、今後どうつながりを保ち、発展させていくか、ということでしたから、できる限り実施することにしました。クラファンは短距離走ですが、館を長く見守ってもらうのはマラソンに喩えられるでしょう。短距離の勢いを、いかにしてマラソンができる体力につなげてゆくか。それが私たちの次のミッションになりました。

体験型の返礼の代表は収蔵庫の見学ツアーですが、これについては、これまでも毎年一回、無料で開催してきたので、ある程度の経験がありました。しかし今回のクラファンでは、更にグレードアップしたものをリターンにしました。また、それとは別に館長と副館長が案内するツアーも作りました。クラウド開始から数時間で、ほぼ全ての体験型の返礼が定員に達してしまい、やはりこのような試みに関心が高いことが分かりました。また、返礼品も数に限りのあるものは、初日にほぼ全てが完売してしまいました。数に制限をもうけなかったオリジナル図鑑は、最終的に四万冊近い注文数となり、通常の書籍でいえばベストセラーといえるような規模になりました。図鑑に関しては、クラファン開始時にはそれほど深く内容まで詰めていませんでしたので、急遽私が総監修の立場で作成することにして、迅速な完成を目指しました。

クラファンでは、支援者からのコメントも同時に返ってきますが、今回寄せられた応援メッセージには大きく二つの傾向がありました。ひとつは、「地球の宝を守れ」という理念に賛同してくださる方、もうひとつは、科博の展示を親子三世代で見に来てくださっている方など、これまで当館にご来館いただいた方からの声です。それはいわば、一四五年にわたる当館の歴史そのものを評価いただけたということで、たいへんに嬉しく思っています。

全国の博物館との協働

今回のクラファンは、一日かからずに目標金額が達成されましたが、それでもなお寄付のペースは落ちることなく、一週間を過ぎる頃には四億円を超える寄付が集まっていました。科博の運営の危機を回避するためのクラファンでしたが、目標金額を超えても

クラファンの返礼の一例（館長・副館長ツアーの様子）

支援が集まっている状況を見て、多くの人たちが科博を支援しているだけではなく、文字通り「地球の宝」を守るための活動をするようにと伝えているのだと考えるようになりました。そこで、いただいた資金の一部を全国の科学系博物館との協働やネットワーク事業などに使うことを決めました。国立、公立、私立を含めて、全国科学博物館協議会に加盟している博物館だけでも全国で二一六の施設があります。これまでは資金がなくて限界があったこれらの博物館との連携を進めることができるようになりました。手始めとして、科博の収蔵標本を各地の博物館に運び、現地博物館が収蔵する標本と一緒に展示する「巡回展」を行う予定にしています。日本の博物館の大部分は、地方自治体が運営しています。地域の人たちに「この博物館が大切だ」と思ってもらえれば、地域の行政にも響くでしょう。遠回りかもしれませんが、皆さんに大事だと思ってもらい、支えてもらうことが博物館を安定させる道なのです。

博物館が資金難に陥った際に通常行われるのは、一般企業と同じように経常経費の削減です。人員を減らし、経費を切り詰め、事業を縮小する、いわゆるコストカットです。実際、今回の科博の場合も、研究費や事業費を前年以上に大幅にカットすれば、とりあえずの運営はできたでしょう。しかし、繰り返しますが博物館の活動は、標本を収集・保管し、それを研究することで得られた成果を展示の形で提示することにあります。したがってこのサイクルを、資金難を理由にストップさせることは、博物館を機能不全に陥らせることになるのです。

やっかいなのは、このように博物館の活動が実質的にストップしている状態でも、外《そと》目《め》には運営ができているように見えることです。開館さえしていれば、来館者は正常な運営ができていると思うでしょうし、財務諸表を見ても、赤字さえ出ていなければ問題があるとは気がつきません。最低限の人件費と運営費があれば運営は可能です。博物館のことを本質的には理解できていない人、例えば企業の経営者などに館の運営を任せると、外からは分かりにくいが、博物館の事業の根幹に関わる部分からコストをカットすることになるでしょう。それは博物館にとっての自殺行為です。残念なことに、日本の博物館で標本・資料収集のための費用がない、あるいは研究者・学芸員が不在になっているところが少なくありません。すでに後戻りできないポイント・オブ・ノーリターンを超えている博物館も多いのではないかと危惧しています。私たちはクラファンで得た資金が、そのような博物館の蘇生につながれば良いと思っています。

科博の未来

最後に、博物館の将来を考える上で、少し脱線しますが、デジタル化についても触れておきます。今後の博物館の活動を考える上で、デジタル化を避けることはできません。特にコロナ禍を経て、その傾向は一段と強くなっています。科博でも保管している標本資料だけでなく、展示空間そのもののデジタル化にも取り組んでいますが、このデジタル化にはいくつかの方向性があります。来館者に向けたデジタル展示、ネットを通じたデジタル情報の発信、それに研究者に対するデジタルデータの提示などです。更に言うと、館内業務の効率化にもネット環境の整備は重要です。

科博では二〇二七年に創立一五〇周年を迎えることから、標本のデジタル化を積極的に進めています。日本の重要な自然史標本のかなりの部分が江戸時代や明治時代に海外に流出しています。タイプ標本という種の同定に最も重要な昆虫や植物の標本の多くを、ヨーロッパの自然史博物館が保有しているのです。こうした標本の高精度デジタルデータが利用できるようになることは、日本の自然史研究にとっても重要なことです。しかしそこには課題もあります。例えば8Kでデータを提供できるようになると、その標本データだけを使って「これは新種の発見だ」という論文を書く人が出てくる可能性も考えなければなりません。標本の付帯情報の質を担保するのは、それを保管する博物館です。しかし高品質のデータがネット空間で利用できるようになると、それまでは標本を所蔵する博物館で実物を見て論文を書いていた研究者が、その手続きをすることなしに新種の発表などを行うことも可能になります。論文等で新たに新種と認められて記載がされると、標本管理者の目の届かないところで、種に関する情報が拡散する事態も起こりえます。検索すると、同じ標本に複数の種名がヒットするようになるかも知れないのです。そのルール作りも必要になるでしょう。

また、インターネット上の情報を教育現場で使う場合にも、コンテンツの質や内容の正確性を誰が担保するかという問題があります。教科書は文科省が検定して配布し、指導要領を使って先生が教えます。文科省は二〇一九年に開始したＧＩＧＡスクール構想の下でタブレットを配布しましたので、今後はネット情報を用いた教育が学校で行われていくことになると思いますが、その際に、コンテンツの質が問題になるはずです。それが解決できれば、素晴らしい教育ができるでしょう。博物館発の情報がその際に利用されることを考え、今後の情報発信を行っていく必要があると考えています。

新たな事業を展開するためには、当然それなりの資金が必要です。科博では目標の九倍もの資金を得たことで、標本のデジタル化やネットワークの事業を先に進めることができるようになりました。私たちの今後の活動に注目していただければと思います。

あとがき

アフリカでは、今から二〇～三〇万年前のものと考えられる私たち現生人類（ホモ・サピエンス）に似た人類の化石が見つかっています。一〇万年くらい前の地層からは、頭の形や脳の容積が私たちと同じような化石も見つかっており、遅くてもこの頃にはホモ・サピエンスが誕生していたと考えられています。そして本書でも指摘しましたが、六万年前にはアフリカを出て世界に拡散したこともゲノムの研究から分かっています。しかし一〇万年以上続く人類史の中で、実際に私たちが文字資料から知ることができるのは五〇〇〇年ほど前からにすぎません。分かっているのは最後の五パーセント程度ということになります。

私たちが将来を考えるとき、過去の自分たちの社会や、人類がその歴史の中で何を成し遂げてきたのかを知る必要がありますが、これまでは最後の五パーセントの知識でそれを考えてきたのです。人類史のほとんどは依然として闇に包まれているのですが、最新のゲノムを分析する人類学や考古学は、文字資料のない社会の姿を明らかにしつつあります。そこから明らかになってきたのは、人間社会の可能性は私たちが考える以上に多様で、歴史の中で様々な実験が繰り返されてきたということでした。今では、農耕の発展が人口の増加を促し、やがて文明が誕生し、社会のヒエラルキーが生まれるという定説を覆すような事実も、次々に明らかになっています。過去の人類集団が行った社会的な実験の中には、これからの私たちの社会を考える上でのヒントもあります。閉塞した現代の状況を打開するために、過去を知る研究は重要なのです。

私は人類の歴史七〇〇万年間を研究対象としていますので、比較的長いスパンで物事を見る癖が付いています。一方、二〇二一年に科博の館長になった後は、館の運営の責任を負うことになったわけですが、そこで強く感じたのは物事を考える時間のスケールがまるで違うということでした。本書にも書きましたが、科博は五年単位で中期計画・中期目標を立てて運営する独立行政法人です。その際に、短期的には年度計画という一年単位の実施計画が立てられるわけですが、短期と中期の計画はあっても、実は長期計画は設定されていないのです。これには違和感を感じたのですが、それは館長が考えるべき目標だということなのだと思い、ここ二年ほど、科学と科学博物館についてあれこれと考えてきました。特に科博の将来を考えるために、その歴史について概観することにしました。

こうして考えた末に、私は科博の長期的な目標として「科学を文化に」というスローガンを掲げることに決めました。科博は科学教育のための施設で、子どもたちが訪れるところだと思っていた人たちも多いと思います。しかし、実際にはよりよい社会生活を送るためには、科学への興味関心は、生涯にわたって持ち続けるべきものなのです。国民の支持のない科学は、やがて痩せ細っていくでしょう。これまでの科博は、社会教育施設として、それなりの働きをしてきたと思いますが、更に科学に親しむ人たちの裾野を広げる必要があると考えました。また実際に自分が科博に勤めてきた二〇年間を振り返ると、概ねそのようなことを考えて活動してきたことにも気がつきました。これまで培ってきた方法や実践などについても、本書の中で解説しました。

その中には、既に雑誌などで発表したものもありますが、今回文章を大幅に書き加えて掲載しています。

一方、二〇二〇年にアウトブレークした新型コロナウイルスと二二年以降のウクライナの戦争は、科博の運営の基盤に大きな打撃を与えました。そのため、大規模なクラウドファンディングの実施に踏み切ることになりました。このクラファンには、科博の活動の中心が展示室にあるのではなく、バックヤードにあるということを伝える目的もありました。それで「地球の宝を守れ」というスローガンを掲げたわけですが、結果的には、短期間で二つのスローガンが並ぶことになってしまいました。クラファンは幸い多くの賛同を得て大成功に終わりましたが、「科学を文化に」の方はまだまだ道半ばです。これができるかは、大げさなようですが、日本の将来にもつながる問題ですから、より一層の努力をしていきたいと考えています。

最後に本書の執筆の経緯について書いておきます。私の研究者としての最後の年である二〇二〇年は、コロナ禍でほとんどの活動がストップしてしまいました。そのため退職に伴う諸々の業務もなくなり、ぽっかりと時間の空白が生じました。そこで私自身の研究テーマでもあり、近年急速に発展した古代ゲノム解析を中心とした人類の起源と拡散の物語についてまとめることにしたのですが、そのきっかけをつくってくれたのが、当時中央公論新社にいた関知良さんでした。関さんとは、私が科博に入って最初に手がけた二〇〇五年の特別展「縄文vs.弥生」展以来の付き合いです。こうして出版した『人類の起源』（中公新書）は幸いにして好評で、版を重ねることができました。その関さんが早川書房に移られたのを契機に、執筆を勧められたのが本書です。早川書房は、子どもの頃からSFが好きだった私にとっては、なじみの深い出版社ですが、なんといっても多数のスティーヴン・ジェイ・グールドのエッセイを出した出版社として親しみがあります。グールドの足下にも及びませんが、同じ出版社から本書を出版できたことを大変嬉しく思っています。また、本書を完成させるにあたっては、同じく早川書房の一ノ瀬翔太さんにも大変お世話になりました。彼の献身的な努力無しには、短期間での出版は難しかったと思います。ここに記して感謝したいと思います。

写真出典

11頁、28頁、30頁、34頁、41頁、53頁、75頁、80頁下、118頁……著者提供

48頁、80頁上、84頁、87頁、97頁、105頁、108頁、116頁、145頁、150頁、162頁、193頁、202頁……国立科学博物館提供

169頁、174頁……国立科学博物館ホームページ

著者略歴

１９５５年生まれ。京都大学理学部卒業。博士（医学）。産業医科大学助手、佐賀医科大学助教授を経て、国立科学博物館人類研究部勤務。２０２１年より同館の館長を務める。専門は分子人類学。著書に『人類の起源』（新書大賞２０２３第２位）、『江戸の骨は語る』（科学ジャーナリスト賞２０１９）、『ＤＮＡで語る日本人起源論』、『新版 日本人になった祖先たち』など多数。

ハヤカワ新書 ０２０

科博《かはく》と科学《かがく》
地球の宝を守る

二〇二四年二月二十日 初版印刷
二〇二四年二月二十五日 初版発行

著者 篠田《しのだ》謙一《けんいち》
発行者 早川 浩
印刷所 株式会社精興社
製本所 株式会社フォーネット社
発行所 株式会社 早川書房
東京都千代田区神田多町二ノ二
電話 〇三‐三二五二‐三一一一
振替 〇〇一六〇‐三‐四七七九九
https://www.hayakawa-online.co.jp

ISBN978-4-15-340020-7 C0240

Printed and bound in Japan

未知への扉をひらく

「ハヤカワ新書」創刊のことば

誰しも、多かれ少なかれ好奇心と疑心を持っている。

そして、その先に在る納得が行く答えを見つけようとするのも人間の常である。それには書物を繙いて確かめるのが堅実といえよう。インターネットが普及して久しいが、紙に印字された言葉の持つ深遠さは私たちの頭脳を活性して、かつ気持ちに余裕を持たせてくれる。

「ハヤカワ新書」は、切れ味鋭い執筆者が政治、経済、教育、医学、芸術、歴史をはじめとする各分野の森羅万象を的確に捉え、生きた知識をより豊かにする読み物である。

早川浩

人間はどこまで家畜か

——現代人の精神構造

熊代 亨

精神科医が「自己家畜化」を
キーワードに読み解く、現代の人間疎外

清潔な都市環境、健康と生産性の徹底した管理など、人間の「自己家畜化」を促す文化的な圧力がかつてなく強まる現代。だがそれは疎外をも生み出し、そのひずみはすでに「発達障害」や「社交不安症」といった形で表れている。この先に待つのはいかなる未来か？

ハヤカワ新書
019

散歩哲学

——よく歩き、よく考える

島田雅彦

十条・池袋・高田馬場・阿佐ヶ谷・登戸・町田・新橋・神田・秋田ほかを歩きのめす！

人類史は歩行の歴史であり、カントや荷風ら古今東西の思想家・文学者も散歩を愛した。毎日が退屈なら、自由を謳歌したいなら、インスピレーションを得たいなら、ほっつき歩こう。新橋の角打ちから屋久島の超自然、ヴェネチアの魚市場まで歩き綴る徘徊エッセイ

ハヤカワ新書
021